Españoles de Casablanca

ESPAÑOLES DE CASABLANCA

Margarita Ortiz Macías

1ª edición: Octubre, 2014

© de los textos: Margarita Ortiz Macías
© del prólogo: Bernabé López García

Edita:
Ciudad Autónoma de Ceuta
Consejería de Educación, Cultura y Mujer
Archivo General de Ceuta

Producción editorial: Q-book

ISBN: 978-84-15243-50-2
Depósito legal: CE 38-2014
Impreso en España

A mi moreno guapo de ojos verdes
Con todo mi amor
Para siempre

ÍNDICE

SEGUNDA PARTE

Margarita Ortiz:
Estirpe de Casablanqueses

Bernabé López García

La historia de Margarita Ortiz se confunde con la de la ciudad de Casablanca y ha estado íntimamente ligada a la de miles de españoles en la capital económica de Marruecos. Nacida en plena Segunda Guerra Mundial en el seno de una familia gaditana emigrada a Casablanca desde principios del siglo XX, pertenece al grupo –hoy ya exiguo– de residentes españoles que echaron raíces en una ciudad que consideran la suya. Por ello, cuando en su libro *Espagnols de Casablanca* quiso Margarita contar su vida a quienes considera sus conciudadanos, lo hizo en francés, una lengua en la que poder hacerse comprender por ellos. Y optó, en vez de escribir en el título «Españoles en Casablanca», por resaltar en el título esa pertenencia a la ciudad.

Pero su gran ilusión era llegar a sus compatriotas en la lengua que le enseñó Esperanza Macías, su madre, el español, y esta es la versión que ha escrito para ellos, para hacer y guardar memoria de una historia que va más allá de lo personal y que concierne a un numeroso colectivo que contribuyó al desarrollo de una ciudad populosa como Casablanca.

Escrito en un lenguaje directo, sencillo, coloquial cuando hace falta y vivo, cargado de expresiones de su cotidianeidad, a la vez andaluza y franco-árabe, nos cuenta las vivencias de cinco generaciones de españoles en Casablanca: la de sus abuelos, que llegaron a la ciudad antes de que comenzara la construcción de su puerto; la de sus padres, que vivieron las crisis de los años treinta y aquellos años dorados de la posguerra en que vivían en Casablanca muchos más españoles que en algunas capitales de provincia de nuestro país; la de su propia generación, que es la de la independencia de Marruecos; y las de sus hijas y nietos, que decidieron convertirse también en casablanqueses de pro.

Margarita cuenta en su libro la decisión de su abuelo, allá en 1906, de seguir a su hermano, ya instalado en Casablanca. Carpintero, ebanista, cogió los bártulos de su oficio y se embarcó para buscar fortuna en una ciudad en la que sus compatriotas gaditanos ya habían echado raíces desde más de medio siglo antes. Uno de cada cuatro de los 700 europeos instalados en la ciudad antes de su llegada provenían de la provincia de Cádiz y habían hecho caso al vicecónsul español en la ciudad, Manuel Navarro, que animaba a fines del XIX a atraer «a Marruecos los miles de braceros que de nuestras provincias del mediodía a la Argelia van. La raza española se presta a colonizar y como ninguna otra se aclimata en estos países».

Hacia Casablanca, pues, se dirigió José Ortiz Ponce, que vivirá en ella los dramáticos días del bombardeo francés de la ciudad en el verano de 1907 y los también difíciles que sucedieron, pues el predominio francés en la ciudad hizo que se prefirieran los obreros de esa nacionalidad a los españoles, llevando a estos a una situación de precariedad que hizo saltar las alarmas del consulado. El titular de este llegará a escribir al Ministerio en noviembre de 1908 pidiendo que se publique en los periódicos españoles «la noticia de que en Casablanca, el trabajo escasea, para prevenir a los obreros contra las leyendas que se han hecho circular, de los soberbios jornales que aquí se abonan».

José Ortiz logrará resistir y reagrupará a su mujer Adela Lara, sacando adelante sus trece vástagos que nos reaparecerán, un cuarto de siglo más tarde, en la nueva crisis que padece la ciudad a principio de los años treinta. En un documento consular, con la lista de centenares de españoles que reciben ayuda del Consulado como consecuencia del paro que azota a la ciudad, aparece José Ortiz, «ebanista», casado, con trece hijos, domiciliado en la Plaza de Verdun.

A las vicisitudes vividas por el abuelo de Margarita sobrevendrán las que le tocará vivir a sus padres: Enrolamiento republicano de su padre, Guillermo Ortiz Lara, en 1938; internamiento en un campo de concentración en marzo de 1939 en Tarragona y confinamiento en Larache en febrero de 1940; traslado de su madre al Protectorado español para seguir a su esposo.

Margarita Ortiz nacerá, tras estos episodios, en la Casablanca de Vichy, el once de junio de 1941, en una ciudad con poco que ver con la del film de Michael Curtiz. Una gran ciudad de aire moderno, con 600.000 habitantes, una cuarta parte de ellos europeos, entre los que los españoles, unos 15.000, constituían la segunda comunidad extranjera. Formaban parte de este grupo un buen montón de refugiados de la Guerra Civil.

En ese ambiente vivirá Margarita, formándose entre la escuela francesa y las costumbres españolas. Cuenta en su libro que el Centro Español de Casablanca, centro de cultura republicana que las autoridades españolas franquistas se empeñarán en cerrar, fue, para su padre y ella, como una segunda casa.

El sueño de Margarita fue poder llegar a ser profesora un día. Lo que estuvo a punto de no poder conseguir a causa de su nacionalidad española. La independencia de Marruecos y la necesidad de profesorado para una alfabetización acelerada de la población marroquí le permitió acceder a una plaza de maestra. Cuenta en su libro cómo realiza las primeras prácticas en el colegio del barrio de Derb Muley Cherif, superponiéndose a la decepción de haber pasado de alumna aventajada en una escuela francesa del barrio de Mers Sultán, en el centro de la ciudad, con rosas trepadoras en los muros, a maestra de una escuela de barriada, llena de desconchones, con ventanas sin cristales ni cortinas. Ante su sorpresa de hija de obrero, con una madre que cosía para ayudar en su hogar, sus 40 alumnas eran más pobres que ella, pertenecientes a un mundo lejano al de españoles y franceses entre los que había vivido. Y a ellas y a las que en años sucesivos les sucederán, habría de dedicar su actividad futura.

Y es ya otra Margarita la que aparece. La que más tarde se unirá a Antonio Moreno, un aprendiz de torero originario de Tánger, lleno de optimismo y vitalidad, que parecía salido de la película de Antonio Molina *El pescador de coplas*. Juntos crearán una familia, orgullosos de su doble pertenencia española y marroquí y pasarán su vida entera en Casablanca.

En un coloquio sobre «Españoles en Marruecos 1900-2007: historia y memoria de una convivencia», celebrado en Rabat, Margarita confesaría que su gran añoranza era poder obtener un día la nacionalidad marroquí, algo no previsto por la ley del país magrebí pero que una vida entera en Marruecos justificaría sobradamente. Su testimonio, recogido en este libro, rescata del olvido una memoria preciosa de los miles de españoles que vivieron en el Protectorado francés y que cobra vida gracias a su relato.

PRÓLOGO

Querido amigo lector, estos escritos míos van a sorprenderte seguramente por lo mal escritos que están. Vamos a ver si me explico. Como todas las niñas nacidas en mi época, en Casablanca, fui a la escuela francesa. Allí me enseñaron ese idioma que amo tanto. Allí me enseñaron, de Francia, su geografía, su historia, la Revolución de 1789 con su magnífica divisa: «Libertad, Fraternidad, Igualdad». Conocí a sus poetas, escritores, pintores...

Me hicieron francófila y francófona. Lo poco o mucho que sé, lo aprendí en los colegios franceses. También me enseñaron a reflexionar y a expresar mis ideas en francés. Sin embargo, mis sentimientos y emociones, siempre, hasta ahora, los siento en español. Nunca he podido decir a uno de los míos *je t'aime*. El «te quiero» es lo único que me sale. Pero lloro y río en español.

Cuando escribí mi primer libro *Espagnols de Casablanca,* que se publicó en Editions Aïni Bennaï de Casablanca en 2003, lo escribí como creo que sé hacerlo: en francés. ¡Qué pena y que paradoja! Podría haberlo traducido al castellano por un buen profesional. No he querido. Verás por qué. Al no haberlo estudiado desconozco su gramática, su sintaxis... Sin embargo, me siento tan española que sigo hablando en español. El que estás leyendo ahora.

Hace más de cien años, cuando llegaron mis abuelos de la provincia de Cádiz, por razones que conocerás si sigues la lectura, era el andaluz de entonces el que trajeron con ellos, muy diferente al de ahora o al que escucho en la radio o cuando voy a Andalucía. Entonces para decir que algo era estupendo, se decía «fetén», «canela fina». Ahora escucho «de puta madre», «guai». Evoluciones de las lenguas vivas. Pues el andaluz de mis abuelos, también ha evolucionado.

En Casablanca, en esa época, se hablaba en francés y en árabe, aunque este se escuchaba muy poquito en mi ambiente, sea dicho. Como en un crisol, se mezclaron los tres idiomas tan bonitos, en la colonia española, y dio esto: lo que estás leyendo, un español poco académico que no encontrarás en el *Diccionario de la Real Academia,* pero que aquí, en Casablanca, conservamos como un querido legado. Herencia del abuelo José y de la inolvidable abuela Adela, de la Línea de la Concepción, segunda capital de Andalucía, la primera naturalmente siendo Sevilla. Eso decían los muchos linenses de aquí. ¡Y yo me lo creía!

Casablanca, 10 de enero de 2013

Agradecimientos

Como he escrito en mi «prólogo», fui a la escuela francesa. En mi casa siempre ha habido diccionarios, enciclopedias, gramáticas, en español. Los he utilizado ocasionalmente. Siempre he querido estudiar el castellano básico. Nunca lo he hecho, por falta de tiempo, me decía, de ese tiempo que una creía infinito, pero que ha pasado tan veloz…

Con mis sesenta y pico de años, cuando quise traducir mi libro *Espagnols de Casablanca*, valoré mis conocimientos y me autocritiqué.

- Lectura: notable
- Expresión oral (la de Casablanca): sobresaliente
- Expresión oral andaluza: bien
- Expresión oral castellana: insuficiente
- Expresión escrita: insuficiente con suspenso

¡Y aún así tuve la osadía de querer escribir mis «españoles» en castellano!

Necesito ayuda. Compro un diccionario Larousse, buenísimo, pero que pesa un quintal. A los pocos días de utilizarlo tengo los brazos hechos polvo. Compro un segundo Larousse. Pido en la librería el que menos pese. La chica que me atiende, escandalizada, dice que por primera vez vende un diccionario al peso, como vulgares patatas.

Esos dos diccionarios me han sido indispensables. Gracias, Larousse.

Tengo por fin acabado mi relato… manuscrito. ¿Quién me lo transcribirá al ordenador? Yo necesitaría años. En mi familia, nadie tiene tiempo para eso.

Una tarde llegan al *cabanon* Adriana, la mejicana, con sus hijos y una joven que no conocemos. Adriana es una amiga de mi hija Gogui desde hace años, ahora lo es de toda la familia. Es profesora de castellano y hace una labor maravillosa, en paralelo. Nada más enterarse de que llega una familia o una persona del continente sur americano, se ocupa de recibirlos, ayudarles en todo lo esencial, casa, tiendas, relaciones, etc. Insustituible Adriana. Esta chica que vemos por primera vez, Irene, había dejado su Guatemala querida hacía solo unos días. Es muy bonita, de pura raza quiché. A Gogui se le ocurrió preguntarle si tenía un ordenador con teclado castellano por aquello de la «ñ» y de las tildes. Irene dispone de tal ordenador y acepta transcribir mi manuscrito a la computadora. Estupendo. Pero «del dicho al hecho hay mucho trecho». Días y días pasamos Irene y yo, ella descifrando mi caligrafía, yo explicándole tantas expresiones y palabras andaluzas, al igual que mis galicismos, por ella desconocidos. Acabamos más contentas que Champollion cuando descifró los jeroglíficos de una estela, para Napoleón, en Egipto.

Gracias, bonita Irene quiché.

Por email le mando mis escritos a tres amigas, para que los lean, me digan lo que opinan, me señalen faltas…

La primera en leerlo es mi queridísima Rosa, profesora de ballet español en el Conservatorio de Granada. Lo primero que nota es que más bien parece una compilación de «telegramas» que un relato. Tiene razón Rosa. Voy a alargar los párrafos, hacer capítulos más densos. Gracias, Rosa guapa.

Mi amiga Julita, madrileña, ejecutiva de su propia empresa, ha sufrido un accidente grave. La tuvieron que operar de las piernas y por largo tiempo sólo se puede desplazar en silla de ruedas. Y ni qué hablar de los tremendos dolores que padece. Ahora está con su marido y madre en El Espigal, a las afueras de la capital. ¡Aún le quedan ánimos para ayudarme! Me anota bastantes erratas. Corrijo muchas, guardo otras: mi «andalucismo añejo» y, cómo no, mis galicismos. Miles de gracias, querida Julita y que pronto recuperes la agilidad en tus piernas.

Teresa Vacas es profesora de Lengua y Literatura, casada con mi queridísimo Antonio Trinidad, los dos iguales de buenos, humanos, cariñosos y otras cualidades más. Teresa, excelente pedagoga, para cada una de mis faltas de ortografía, gramática, contrasentidos, anota la corrección en el margen y la explicación de dicha corrección. No aprecia mis numerosos galicismos, aunque comprende, como Julita, que están arraigados en mí, que forman parte de mi elocución. Gracias, como las que tú tienes, Tere querida.

Por fin, el texto súper corregido, es sacado del ordenador y lo imprimo en algunos ejemplares. Mis hijas y hermano lo leen y lloran, y lloran…

Ahora es a mí a quien la empresa Kleenex me tendría que haber dado las gracias. Seguro que tantos llantos incrementaron las ventas de los pañuelos de papel. Antonio, mi marido, lloraba cuando yo acababa un capítulo y se lo leía. ¡Mira que han llorado esos ojos verdes salpicados de oro!

Ahora viene lo bueno. Mis dos libros *Espagnols de Casablanca* y *Un cáncer du sein, et alors,* escritos en francés, tuvieron la suerte de ser editados, el primero en Marruecos, el segundo en Francia, por editoras francesas. Pero ¿qué hago con esta traducción mía de mis «españoles»? Se me ocurre enviarle un ejemplar a mi estimado y querido amigo Bernabé López. Bernabé es profesor en la Universidad Autónoma de Madrid en el Departamento de Estudios Árabes, Facultad de Filosofía y Letras. A él también le agrada mi librito.

Se lo da a leer a amigos suyos. Uno de ellos, archivero en Ceuta, habla de editarlo. No me lo puedo creer. ¡Qué dicha la mía si eso se concretiza! Voy a cumplir 72 años.

Así que, amigo lector, si has leído este libro, es que se consiguió: mi libro en español, aunque sea en mi español, se editó.

Millones de gracias, querido lector.

PRIMERA PARTE

JA MARGOT

Me parece que tiene celos mi niño. Algo he notado cuando su nuevo amiguito Brecht me ha llamado *Ja*. Con ese ímpetu que lo caracteriza, le ha prohibido a su compañero que me diga *Ja*. Según él, solo mis cuatro nietos pueden apropiarse del *Ja*. A solas, más tarde, trato de razonarlo y convencerlo: ¡Qué más da que otros niños también me llamen *Ja!* No lo consigo. Y por milésima vez, me pide que le cuente el origen de ese *Ja*. ¡Mira que le gusta que le narre la historia! ¡Claro, como que fue él su autor y principal protagonista!

Está toda la familia en el *cabanón*, o sea una casita que tenemos frente al mar, a unos veinte kilómetros de Casablanca. Mi Guillermo, con poco más de un año, aún no anda y se desplaza con su andador. Estamos en el salón. Es la hora del aperitivo. Todos están charlando. Los dos únicos en movernos somos el niño y yo. ¡Con qué maestría y virtuosismo maneja mi nieto el cacharro ese!

Mis continuos vaivenes de la sala a la cocina son auténticos pases toreros. ¡Ole! Una verónica por aquí, un farol por acá. ¡Qué arte el mío afrontando este miura en miniatura! ¡Uy! Esta faena me sale mal. Para evitar un embiste de frente, me tambaleo y se me cae uno de los vasos que llevo en las manos, al suelo. Mi temple taurino me falla, o a lo mejor es mi costumbre de soltar tacos con tanta facilidad. ¡Qué sé yo! El caso es que la palabrita me sale de la boca. En árabe. *Wa el jra*, traducida al español «¡Vaya mierda!».

Ninguno de los presentes se inmuta. Están acostumbrados a mis salidas «extra decentes». Bueno eso de ninguno no es cierto. Uno solo se ha quedado con el dicho. El niño. Mi Minotauro para bruscamente su embestida delante de mí, levanta su divina cabecita, y mirándome con bravía, repite «*Ja*».

Silencio en los tendidos. Milagro o prodigio. Este crío tan espabilado, tan listo e inteligente, para su corta edad, hay que admitirlo, está un poco, bueno un poquillo atrasado en el lenguaje. El niño habla poco. Tampoco le hace falta para comunicarse con nosotros. Lo entiende todo y para expresarse utiliza su reducido vocabulario, gestos y mimos. Siendo, por ahora, el único niño de la familia, está más adorado que el Niño Dios. Hay una conexión total entre él y nuestro mundo de adultos.

Y si habla poco, ya hablará. Y si sale a la abuela, hablará por los codos. Pero lo que es seguro es que ahora en este instante, ha repetido mi *«hra»* mal pronunciado por cierto. Mi *«hra»* árabe es demasiado gutural para él.

José, su padre, después de unos instantes de silencio, sorprendido, como todos, por la palabra del niño, le preguntan a su hijo en español (era la época en la cual toda la familia hablaba solo este idioma):

—Guillermo, ¿qué ha dicho tu abuela Margot?

Guillermo, claro y categórico, le responde a su papá:

—*Ja.*

Estamos aturdidos. ¡Para ser semimudo qué pronto se ha quedado con mi palabrita! Bueno…, cambio de tercio. A seguir con el aperitivo. Pero esas dos letras cavilan en todos nosotros. Un rato más tarde, mi yerno vuelve con la pregunta.

—¿Qué ha dicho la abuela Margot?

Y mi niño bonito contesta otra vez, mirando a su padre con esos ojos que me vuelven loca

—*Ja.*

No hay duda. Ese *ja* no ha sido una onomatopeya sin sentido, sino una repetición bien asimilada.

A la mañana siguiente, muy tempranito, estoy en la cocina preparando el desayuno familiar. Por la ventana abierta, veo venir a José con Guillermito en sus brazos. ¡Qué madrugadores! Seguro que mi niño dio la noche y que mi yerno, para que la mamá descanse un poco, se ha llevado a su hijo a la orilla del mar, a pasear. De regreso al *cabanón,* me ven. Mi muñeco me mira. Con su dedito me señala.

Momento sublime, mágico, decisivo en mi vida. Mi Guillermo, la carita iluminada por una sonrisa me llama *Ja.* Se acabó la duda. Todo empezó. Hasta el último día de mi vida soy y seré *Ja.* Así lo ha decretado mi niño de mi alma. Y el *Ja* se me ha quedado.

Con el paso del tiempo, Guillermo soltándose al hablar, ha añadido al *Ja*, Margot. Y *Ja Margot* (sin pronunciar la «t», a la francesa) se me ha quedado. *Ja Margot* soy para los cuatro nietos que tengo ahora y para sus amiguitos, como Brecht ayer.

SER ABUELA

Me casé con Antonio a los veinte años. Fue y sigue siendo una unión llena de amor, cariño, ternura, respeto, amistad, comprensión. Le he dado y le sigo dando mucho, tanto como él a mí. Es lo nuestro, como digo yo, un amor mutuo.

A los veintiún años fui madre de Margarita, que llamamos todos «Gogui». A los veinticuatro, de Sylvia. ¡Qué bonito es ser madre! Desde el nacimiento de mi primera hija supe que el sentimiento tan sublime que me invadió y se apoderó de todo mi ser, lo llevaría conmigo hasta mi muerte.

Gozos y sufrimientos incomparables siento desde entonces. Gozos al verlas crecer, reír, metamorfosearse paulatinamente de niñas a mujeres, como crisálidas en mariposas. Gozos al fusionarme con ellas, al recoger migajas de su niñez y adolescencia hasta el instante mágico en que fueron, ellas también, madres. Sufrimientos cuando ellas los han sentido.

Amor único, amor de madre. En un solo sentido. Dar sin esperar nunca nada a cambio. No es mi caso. Con mis hijas recibo, con creces, y aún más, lo que les di y doy.

Y fui abuela. Soy abuela de cuatro nietos: Guillermo, Alejandro, Adela y Antonio.

¿Es posible que los quiera más que a sus madres? No lo creo. Más es imposible. Pero de lo que estoy bien segura es que siento por ellos algo diferente. Si los menciono, pongo ante sus nombres el adjetivo posesivo «mi»: mi Guillermo, mi Alejandro, mi Adela, mi Antonio.

Son como una segunda piel que tengo, que me envuelve de la cabeza a los pies, suave, dulce, caliente. Tenerlos ante mí me provoca apnea. Mi corazón late mas fuerte. Son auténticos curanderos. Sus presencias disipan mis pesares, alivian mis penas, calman mis dolores. Y eso que no son santitos. Son, como decía mi abuela, «de sus tierras». Nuestras relaciones, muy peculiares, bastante atípicas, pueden pasar de conflictivas, a eufóricas, apasionadas, cariñosas…

¡Qué oportunidad me otorga la providencia de poder entrar por segunda vez, y a mi edad, en estos mundos fantásticos de la niñez, y ahora de la adolescencia! Como la Alicia de Lewis Carroll traspaso el espejo mágico y me encuentro en otro universo, el de ellos, fascinante, increíble, tan diferente al de mi época. Como esa Alicia me reduzco increíblemente a veces, y otras, por el contrario, me agiganto. Trato de no perder las guaridas. Ni de establecer comparaciones. Estoy viviendo mi inicio en el futuro. El de ellos. ¡Qué suerte la mía de ser abuela! De ser *Ja Margot*.

MI CUMPLEAÑOS

Doce de junio. ¡Qué nostálgica me he levantado! Ya pasó mi cumpleaños.

Lo celebramos ayer noche, en mi casa. ¡Qué velada tan bonita! Cerca de mí, los seres que más amo: mis doce satélites. Satélites tampoco es el término más apropiado. Si ellos son satélites, yo soy el sol, y no lo soy... Mi metáfora es hiperbólica. Es que me sentía tan radiante de amor, calor y felicidad, que tuve por seguro que transmitir con toda seguridad a los míos esos sentimientos.

Y qué decir de los regalos que me hicieron. Gracias, Sylvita, por la excelente idea que tuviste el día que se te ocurrió fisgonear en mi ropero.

—¡Uy lo qué he visto, está todo ligeramente rancio!

Categórica, le dijiste a las mujeres de la familia que los próximos obsequios que hiciesen fueran exclusivamente Ropa, con mayúscula, es decir, conjuntos, vestidos, jerseys, modernos, elegantes y sobre todo, juveniles. ¡Con sesenta años que tengo! La orden ha sido ejecutada: para el día de la Madre, Navidad, fiestas de cumpleaños...

Además de dicha ropa, mi Guillermo me ofreció un frutero, mi Adelita un encantador colibrí de cristal, mi Antonio me dibujó un lindísimo paisaje, mi Alejandro me compuso un emotivo poema. Y sigue lo bueno. Cuando soplé las velitas, mi Guillermo me tocó a la guitarra *Cumpleaños feliz*. La apoteosis total.

También tengo que añadir que había en la casa flores por doquier: rosas rojas, otras color marfil, margaritas, gladiolos, claveles, correhuelas, brezos, acianos, alhelíes... Por si fuera poco, tuve la osadía de cortar de una de mis macetas, una hortensia malva, para adornar la mesa.

Se tienen sesenta años solamente una vez en la vida.

*   *   *

Realmente fue un cumpleaños bonito. Ya pasó. Hasta el año que viene digo yo. ¡*In cha Allah!*[1]

Pues me equivoco. Suena el teléfono. Me llama mi prima Ana Mari, de Grenoble. Para felicitarme. Un detalle cariñoso. Me dice que lo hace con un día de retraso. ¡Qué más da! La semana pasada, hablando con mi tía Angelita recordaron que el primero de junio fue el cumpleaños de mi prima Fifí y que el mío sería el once del mismo mes. Ana Mari se prometió telefonearme ese día. Como no lo pudo, lo hace hoy. Me pone contenta. Mi prima querida no me olvida, con el tiempo que hace que buena parte de mi familia se marchó de Casablanca para Francia. Por lo menos treinta años. A pesar de la lejanía y del tiempo, siguen entrañables los lazos de familia, el cariño, el afecto, los recuerdos.

Los recuerdos… Mis primos, mis tíos, mis abuelos, mi familia. La familia Ortiz.

De manera inconsciente y fulgurante me traslado al pasado. Se me olvida lo de *Madame Moreno*, lo de *Ja Margot*. Soy Margarita Ortiz Macías, nacida el 11 de junio de 1941 en Casablanca.

Llena de reminiscencias, me atrapa el ayer.

---

[1] Equivalente a «Si Dios quiere».

Mi nacimiento

Nací un once de junio, durante la Segunda Guerra Mundial. Mis padres vivían, por entonces, con mis abuelos paternos, en una casa inmensa. ¿Esa casa, era tan inmensa o me lo parecía a mí?

Creo que los recuerdos de nuestra infancia, guardados tanto tiempo en la memoria, son como esas viejas fotografías puestas casi cronológicamente en una caja de cartón. Si las sacamos ahora están amarillentas, ligeramente borrosas pero auténticas. Como los recuerdos conservados desde la niñez: deformados, vagos pero auténticos también. El niño ve y vive la vida de manera tan diferente a la del adulto y es esa vida la que va a guardar en su caja de recuerdos.

Volvamos a ese 11 de junio. La noche anterior, a mi madre le empezaron los dolores de parto. Como una flecha, mi padre fue en busca de la comadrona. Era casi la hora del toque de queda. La partera cuando supo que mamá era primeriza, con mucha guasa, le aconsejó a mi padre que volviera a casa, que estuviera tranquilo, que ella iría por la mañana y otros muchos «que».

Esa señora no conocía ni a Esperanza, mi madre, ni a mí. Mamá ha sido, y será, la persona más estoica que yo he conocido, capaz de soportar los dolores físicos más intensos sin una sola queja. Y si le dijo a su marido que las contracciones eran fuertes es que ya el bebé no tardaría en llegar. Y el bebé llegó.

Hasta ahora me llaman «bullita», «Rápido González», etc… Todo lo hago de prisa y corriendo. Y si, en el vientre materno, tuve ganas de salir, no podía esperar la noche prevista por la comadrona.

Y me presenté en este mundo en la cama de mi abuela. Con tanta velocidad que salí hasta con el amnios, o sea, la membrana, parecida a una bolsa, donde está inmerso el feto. Normalmente, al romper las aguas, esa bolsa se queda dentro. Pero como a mí me ocurren cosas tan raras, la dichosa bolsa no tuvo tiempo de desprenderse y se me quedó pegada a la cabeza.

¡Imagínense la escena! Mi madre en la cama. A su alrededor la abuela, mis tías, mis primas mayores. ¿Y qué ven aparecer? Un ser insólito, envuelto en un velo opaco, atado a su madre por el cordón umbilical. Mi pobre abuela, a pesar de los veinte y pico partos que ha tenido, más los de sus hijas y nueras a los cuales ella ha asistido, se queda atónita. ¡Pobre Esperanza! ¿Eso qué es?

Llenas de pavor, inquietud y angustia me dejan así hasta la llegada de la comadrona. Esta mujer, sin inmutarse, hace su labor, me corta el cordón, con extrema delicadeza, me quita el velo (más poético que membrana, ¿verdad?) me limpia y todo el «concilio» puede admirarme, así como los hombres que aguardaban en otra habitación, los pobres también asustados, en particular mi padre. Maravillado, al igual que los demás, contempla una niña preciosa, de largo pelo negro, que pesa más de cuatro kilos.

La partera, que poco parto secundó por cierto, explica lo del velo y cuenta que ese velo, a los rarísimos bebés que lo tienen al nacer, les trae mucha suerte y son afortunados. Explicación que llena de alegría a todos los míos.

Después de ese parto tan particular, me pasé dos días y dos noches sin comer, sin abrir los ojos, sin chistar. Es la única vez en mi vida que me he quedado tanto tiempo con la boca cerrada.

¿Y qué pasó con el velo? Adela, con cuidados infinitos, lo lavó y lo tendió para secarlo antes de que se guardara religiosamente, como reliquia y tesoro. Desgraciadamente, una de las muchas vecinas o amigas que vinieron a verme, en un descuido de los míos, robó el velo. Me quedé sin mi amuleto.

¿Será por eso que mi vida ha estado y está marcada por dichas maravillosas y desdichas terribles? ¡En qué mala hora le vecinita se llevó mi velo! ¡A lo mejor se hubiera cumplido lo de la felicidad total!

*   *   *

Como mi abuelo era carpintero, quiso hacerme la cuna. Pero faltaba por entonces madera. Ni corto, ni perezoso, José quitó un tabique de un cuarto e hizo una camita que parecía salir de un libro de cuentos de hadas. Papá la decoró con primorosas pinturas.

Esa bonita cama, cuando fue pequeña para mí, sirvió para muchas más primitas que nacieron después y, maravilla de las maravillas: en ella se acunaron mis dos niñas. Cosas hechas antes de la guerra, como se solía decir.

Para mi hatillo, siempre por la misma penuria, no había tela. Ni corta, ni perezosa, Adela, ella también, sacó del armario enaguas y bragas suyas nuevas, o casi nuevas supongo, que mi madre deshizo. Con esas manos de hada que tenía, me compuso un ajuar que hubiese envidiado la princesa Aurora, la Bella Durmiente. Qué ropitas cosió y bordó. Y con cuánta finura.

También la Princesa Aurora hubiese envidiado otra cosa que no le otorgaron todas las hadas que tuvo de madrinas: el amor. Sí, ese amor tan inmenso que he recibido desde que nací. Que sigo recibiendo. Ni un solo instante en mis sesenta años me he sentido sola. Siempre arropada por los míos.

¿Le deberé ese privilegio al velo?

José Ortiz Ponce

MI ABUELO

Mi abuelo José Ortiz Ponce, nació en San Fernando, cerca de Cádiz. Qué apego y querencia le tuvo durante toda la vida, tanto a San Fernando como a España entera. Amor en sentido único. Qué poco recibió él, a cambio de tanto fervor patriótico.

A sus veinte y pico años tiene que dejar su Isla, donde no hay trabajo, separarse de toda su gente. Tiene que olvidarse de esas Alegrías que cantaba hasta ayer: «De San Fernando a Cádiz hay un letrero: por esa puertecita se entra en el cielo». ¡Sal de tu cielo, José! ¡A ver si encuentras otro más generoso!

Decide ir hacia el sur, caminando. Sus pies polvorientos y cansados, o el destino, lo paran en La Línea de la Concepción. Como en otros lugares recorridos trata de buscar faena. Lo primero que tiene que hacer es encontrar donde alojarse.

Ante él, un patio, grande, lleno de flores, con su pozo central. Ve, de espaldas, a una joven sacando agua, va hacia ella y le pregunta si hay un cuarto para alquilar. Ella se vuelve, le da la cara. Él se tambalea. Esa niña tiene que ser la mujer que comparta su vida. ¡Qué bonita es! Menudita, con cara de virgen andaluza. Su nuca se adorna de un espeso moño negro azabache. Pero lo que más lo subyuga son sus ojos tan llenos de dulzura, vivacidad, inteligencia. Se llama Adela Lara Vélez. Y para colmo de suerte, hay habitación sin ocupar. Por cierto, es su padre el encargado del alquiler.

–Mire, es ese hombre que viene hacia nosotros.

Adela se retira. Para poco tiempo. Pronto será la compañera de José Ortiz Ponce, durante muchísimos años y la madre de un montón de críos.

Adela Lara

¿Puedo hablar de mi abuela de manera racional sin exageración? Muy difícil: La he querido y admirado tanto… ¡Cuántas cualidades tenía!

Para mí, la que más primaba era su bondad. «De casta le viene al galgo», dice el proverbio con tanta certeza. A Adela esa virtud le llegaba de su padre, apodado «Larita». Como prueba, esta anécdota que voy a narrar.

Su mujer, Ana, está al final de un embarazo. En casa hay, por entonces, otros niños pequeños. Larita trabaja de conserje en el único teatro de La Línea. Gana un sueldo más que modesto. Ocasionalmente, como tantos linenses, hace de contrabandista cuando lo llaman de noche. Gibraltar está muy cerquita. Un atardecer llega a su casa Larita casi sin aliento. Sin abrir la boca, va hacia una cómoda reservada para la modesta ropita, lavada y planchada, esperando su futuro dueño o dueña. Larita abre todos los cajones y escoge un surtido de pañales, camiseta, fajita, corsé, moletón, babero… Envuelve todos esos tesoros en una toalla blanca y sale de casa con la misma celeridad que tuvo al entrar.

La familia entera, boquiabierta, se queda pasmada. ¿Dónde se habrá ido este hombre? ¿Por qué ha cogido esas prendas del hatillo minuciosamente guardadas para ese bebé que está por venir? A todas esas preguntas está sometido nuestro Larita que regresa al poco tiempo con cara de satisfacción. No le cabe su camisa al cuerpo. Y cuenta lo ocurrido.

Por la tarde, se encontró a un amigo muy preocupado. Larita quiere saber el por qué de esa aflicción. Este le dice que una de sus vecinas está pariendo y que el crío que está por llegar no tendrá ni un pañal que ponerse, pues una indigencia tremenda reina en esa chabola. Sin dudarlo un solo instante, el padre de Adela hizo lo que ya sabemos.

Su mujer que lo ha escuchado muy atentamente, sin abrir la boca, sigue igual de silenciosa cuando su marido acaba el relato. Tan solo un hondo suspiro sale de su pecho. Extrañado de este mutismo le pregunta a Ana si ha actuado mal. Y Ana, muy despacito, le responde:

—Tenemos tan poco para arropar al que está por venir que ahora me pregunto cómo vamos a cubrirlo.

37

Su marido la abraza y con ternura infinita le dice:

—Lo abrigaremos con el calor de todos los de esta casa.

Adelita, una niña aún, presenció este admirable gesto tan lleno de nobleza, desprendimiento y bondad. De ese tronco tan generoso, la ramita que fue Adela, llevó en su sabia la misma generosidad que la de su padre Larita.

Mi abuela no fue a ninguna escuela. ¿Cómo y cuándo aprendió a leer en español y después mucho más tarde en francés?

Otra de la cantidad de cosas asombrosas de Adela fue su pasión por las artes: música lírica, sudamericana, flamenco, copla… El teatro le gustaba profundamente, tanto el español clásico o contemporáneo como el extranjero. Fue ella quien me habló de Víctor Hugo por primera vez. Me contó parte del *Hombre que ríe* y de *Los Miserables*.

Los toros la entusiasmaban y cómo entendía de tauromaquia…

Todas sus querencias las esparció por su entorno.

En casa de mi abuela se escuchaban zarzuelas, flamenco, baladas. Mis tías y primas cosían cantando boleros, coplas, arias de *Los Claveles*, *La Dolorosa*, *La Verbena de la Paloma*… Por las noches, la radio retransmitía obras teatrales que todos escuchaban con emoción.

Con el paso del tiempo, a mis sesenta años, aún me asombra de mi abuela su avance audaz y moderno. ¿Quién le inculco, sin salir de su hogar, esas ideas tan atrevidas, sorprendentes, vanguardistas que poseía Adela? Su amor firme por la libertad, la fraternidad, la igualdad, su odio por las dictaduras, por los que oprimen a los pueblos, su convicción firme de la igualdad entre el hombre y la mujer.

Nuestra Pasionaria, sin darse cuenta, insufló sus ideales, inclinaciones, aficiones, adhesiones a todo su entorno. Fue la Egeria de la familia Ortiz. Mi abuelo, tan lejos intelectualmente de ella, aunque compartía muchos de sus conceptos (¿inculcados por Adela?) era un auténtico tirano machista. Mi abuela, que por fuerza tenía que someterse a los dictámenes de su marido, siempre altiva, mirándolo bien a los ojos, sin gritar (nunca la escuché gritar) solía decir:

—Ortiz, en esta casa mandas tú y en todos nosotros. Pero en mi cabeza solo mando yo. Soy ama de mis pensamientos y nunca podrás apoderarte de ellos.

Y Pepe Ortiz, furioso, se tenía que callar.

Asombrosa Adela. Mujer de bandera por encima de Louise Michel, George Sand, Simone de Beauvoir, Simone Veil…

De soltera, muy jovencita, casi niña, trabajó en una fábrica de pastas. Trabajaba frente a una ventana que daba a la mar. Cuántos sueños le provocaban dicha mar. Uno de ellos, era este. Disfrazada de chaval consigue que la cojan (o lo cojan) de grumete, a bordo de un bonito velero. Es él (o ella) quien se sube al mástil para escrutar el horizonte. ¡Tierra a la vista! Pronto se tocará suelo firme. El barco amarra en una isla virgen. El corazón de nuestra aventurera late alocadamente. Por vez primera va a conocer nuevos mundos. Sus cinco sentidos están puestos en los insólitos descubrimientos que se presentan ante ella y que la llenan de exaltación y deleite: Esas mujeres y hombres casi desnudos, tan bellos, hablando un idioma incomprensible pero así de sonrientes y acogedores, esa fauna y flora tan singular, hermosa y exuberante.

En ese paraíso se detiene la tripulación unos días. Cargado de víveres, agua e infinitos regalos, generosamente ofrecidos por los isleños, el velero zarpa hacia otros lugares, a cuales más curiosos y sorprendentes. ¿Cuánto tiempo dura el crucero? En el océano infinito se pierde la noción del tiempo. Adela se impregna de los diversos paisajes, los más mínimos incidentes, los sutiles aromas, las melodías exóticas, lánguidas, melancólicas o llenas de ritmo, de tanta y tanta gente así de peculiar. Lo memoriza todo, lo graba para siempre en su mente. Más tarde, cuando sea vieja y su pasión aventurera se apacigüe allá de vuelta a su Línea natal, contará una y otra vez los miles de relatos vividos.

Una voz, llena de irritación y reproche la saca de su navío.

–Adelita, ¿qué haces? Llevas no sé cuánto tiempo embobada, mirando por la ventana, sin trabajar. Y lo peor, es que no es la primera vez que te sucede esto. El jefe está al corriente de tu despiste y vaya lo poco contento que está contigo.

Es la capataza, furiosa, que reprende a nuestra heroína viajera.

¡Adiós velero blanco, océano malaquita, sol aplastante, lugares fascinantes y esplendorosos, indígenas sonrientes y hermosos! Todo se esfuma. Todo fue sueño. Lo real es esta fábrica de pastas y centenares de macarrones, sin empaquetar, hasta el suelo.

La mar, detrás de la ventana, al alcance de su mano, salpicada de fragatas situadas en el horizonte, hace un guiño a la niña.

–Ya vendrá la hora en que te alejes de aquí –le dicen las olas.

Tenían razón. Unos años más tarde, Adela dejará su pueblo, embarcará en un barco de verdad, hacia otro continente, para siempre. Vivirá en un nuevo país, Marruecos, en su bonita Casablanca. Tendrá una existencia agitada.

No la de sus sueños. La que vivirá con José Ortiz y con esa gran familia que fundarán los dos. Muchos, muchos años.

Después, reposarán juntos, para la eternidad, en el cementerio europeo de Casablanca.

*   *   *

Algunas cosas más tengo que añadir de mi abuela.

Ya en Casablanca consigue habitar en un patio que comparte con otras familias españolas. No sé de quién partió la idea, pero lo cierto es que el patio es de puro estilo andaluz, macetas que adornan las paredes blanqueadas de cal, así como todas las entradas de puertas de las viviendas. En el centro domina una palmera africana que le vale la denominación de «El patio la palma».

Como he dicho, la literatura apasiona a Adela. Ha leído a Calderón de la Barca, a Lope de Vega, a Cervantes… y a otros autores extranjeros. De todos los habitantes del caserío, la única que sabe leer es mi abuela.

Es muy madrugadora. Tiene tantas tareas caseras… Llegando la tarde, de mutuo acuerdo, los vecinos y vecinas sacan las sillas al patio. Adela, en el centro, coge un libro y, con su voz melodiosa, lee. Todos los presentes han cotizado para la compra de dicho libro o para folletos semanales, obras literarias, teatrales, hechos históricos, etc…

El silencio es total. Embobados, con fascinación, escuchan a Adela. Todas la admiran con una pizca de envidia. Es la única que sabe darle alma y cuerpo a esos garabatos que llaman escritura.

La luna asoma su rostro polvoriento por lo alto del patio. ¿Estará ella también interesada por la lectura? Sonriente, permanece largo rato. Pero la sesión se levanta. La noche ha caído de lleno. Adela seguirá su relato mañana por la tarde…

Otra peculiaridad de mi abuela: su empeño por la limpieza o mejor dicho su meticulosidad. Esta es conocida en la comunidad española de Casablanca. Se dice que en casa de la familia Ortiz se gasta más en cal que en comida.

Recuerdo haber visto siempre en un rincón del patio un cubo con cal preparada y colgada del cubo la escobilla para encalar. Una mancha en una pared: ahí va la abuela u otra mujer de la casa a blanquear la suciedad. Y qué decir del parque encerado semanalmente, de los muebles, no muchos, sea dicho, pero lucientes como espejos.

Aún llega a mi memoria, el olor a alhucema que invadía la habitación cuando se abría la puerta de un armario. Qué maravilla todas esas pilas de sábanas, manteles tan blancos, los festones de encajes hechos a ganchillo almidonados. Bueno, el almidón, en casa de Adela se utiliza tanto como la cal. ¡Hasta los delantales están almidonados!

Cómo no hablar del hogar de Adela sin subrayar el calor humano y su cabida para cualquier necesitado de techo o de pan. Puerta siempre abierta para desamparados, pobres, indigentes…

Después de la Guerra Civil, mi abuela acogerá a cantidad de refugiados que permanecerán bajo su techo el tiempo necesario hasta hallar un trabajo y una vivienda. Uno de ellos, Manolo Valdivieso, vivió con la familia Ortiz… quince años.

Bondadosa y dulce Adela, tierna, humana y generosa. No recuerdo haberla visto gritar a un niño. No soportaba los chismorreos y siempre defendía al criticado ausente. Nunca la vi pelearse.

Bueno sí, solamente una vez.

Mi prima Juanita vive con su madre, la tía María, en casa de los abuelos así como sus dos hermanos, Pepito y Paquito, y su hermana mayor, Adelita. Todos van o han ido a la escuela del barrio de la Plaza de Verdun, *l'École du Centre*. Una tarde, Juanita llega llorando. Tiene una herida en la cabeza y contusiones en brazos y piernas. Asustada de verla en ese estado, la abuela pregunta qué ha pasado. Sin parar de llorar, Juanita cuenta lo ocurrido.

Son las cinco. La campana ha sonado anunciando el final de las clases. Las niñas, como nubes de mariposas, se precipitan fuera de las aulas. Las filas se forman, impecables, en ese largo corredor tan limpio y austero. La clase de Juanita está en el primer piso. Su maestra y la de al lado hablan como dos cotorras. Las alumnas hacen igual. El charloteo degenera en griterío. Las dos señoritas chillan: «¡Silencio!». El griterío sigue. La maestra de mi prima, furiosa, deja a su colega y se dirige hacia sus alumnas. Juanita está cerca de ella, a su alcance. Siente cómo su mano la coge por los hombros y la sacude brutalmente. Tanto así que la chiquilla pierde el equilibrio, se tambalea y rueda escaleras abajo, hasta el último escalón. Su maestra ni se inmuta, ni la mira. Nuestra pobre cría se levanta, aturdida, llena de pavor, creyéndose culpable. Cojeando, sale pitando hasta la casa.

Abuela Adela, en ese momento, está delante de la tina, bajo una morera, lavando la colada. Al ver llegar a su nieta, llorosa y ensangrentada, para su tarea y le pregunta qué ha pasado. Juanita cuenta los hechos sucedidos. Sin abrir la boca, sus torneados brazos chorreando de espuma, se quita el delantal, coge a la niña de la mano y se dirigen, las dos, hacia la escuela.

La maestra sigue aún allí conversando todavía con sus compañeras, en el patio. Todas se callan ante la mujer y la niña. Esta, con un ademán, le señala a su «educadora». Serena, la abuela se planta ante ella, sin alzar la voz pero mirándola frente a frente, le habla de una manera que impresiona a todas.

—Madame, no sé francés, por desgracia. Le hablaré en mi lengua, en español. O usted me comprende o ya se lo traducirán. Mando a mi nieta a esta escuela francesa al igual que mandé a algunos de mis hijos, nietos, sobrinos… Hemos querido, mi marido y yo que nuestros niños tengan una enseñanza francesa para que adquieran vuestro idioma, vuestra bella cultura, vuestra educación. Es la primera y la última vez que le pone usted la mano encima a uno de los míos. No. No trate de justificarse, conozco a Juanita. No miente.

Sin una palabra más, siempre cogida de la mano de su niña, se da la media vuelta y salen las dos del colegio. ¡Ole, y ole y ole! Torera abuela Adela.

Tengo que señalar que en la plaza de Verdun, lugar donde estaba situada la escuela, predominaba por entonces una fuerte población española y la mayoría de las maestras del instituto hablaban o entendían nuestra lengua. Así que el mensaje de Adela fue una mancha de aceite en dicha escuela.

Sobre Adela Lara Vélez podría contar y contar cosas de ella sin parar.

Nadie como mi abuela para reconciliar a los suyos si habían tenido unos con otros enfrentamientos, inevitables en una familia tan numerosa. Con su psicología innata (sin haber estudiado a Freud), desdramatizaba las situaciones difíciles. Irradiaba amor para todos nosotros (y para muchos más) sin ser expansiva. Pocas veces la vi dar besos a sus nietos ni obligar a los chiquitines cuando no querían o no tenían ganas de efusiones. Sabíamos y sentíamos todos que ella entera era Amor. Adela fue el pilar de esta inmensa familia que forjó con Pepe Ortiz.

A su muerte, el pilar se derrumbó y la familia se dispersó.

Los abuelos

RUE DE L'ALLIER

Calle del Allier. Clase de Geografía. El mapa de Francia, grande, bello, de diversos colores, está colgado en el centro de la pizarra, las montañas en marrón, los ríos azules, las llanuras y mesetas verdes.

Hoy la maestra nos habla de los ríos que surgen del Macizo Central, como casi todos los ríos de Francia. Se dice que el Macizo Central es la Torre de Agua del País. Deseo con impaciencia que la regla de nuestra institutriz se pare en el nacimiento del río Allier. Allí está con su bonito recorrido. Pero qué triste final. Mira que acabar en el Loira... Un poco más de esfuerzo y se hubiera tirado como un valiente en el océano Atlántico. ¡Qué pena, casi me avergüenzo de él!

Ese interés tan grande que tengo especialmente por el río Allier tiene su explicación. La calle donde vivo se llama *rue de l'Allier*, «calle del Allier». Es que a mi calle, la quiero tanto, con mis diez años. Eso de calle poco le va. Es más bien una callejuela. Pero, ¡vaya callejuela! Aun ahora, no sé por qué una calle así de pequeña fue tan conocida por la colonia española. Si alguien me pregunta dónde habito, al contestar rue de l'Allier, suelo escuchar «¡Ah sí!, la callecita cerca de la *place de Verdun»*. Increíble.

Mi rue de l'Allier, perpendicular a la rue Lusitania y al bonito bulevar d'Anfa, está habitada casi exclusivamente por españoles, la mayoría andaluces. Mi calle no tiene inmuebles, tan solo patios. El mío es el más grande. Hasta tiene nombre propio, o mejor dicho dos: «El patio Ohayon», nombre de unos de sus primeros propietarios, y otro «El patio de los Leones». Este último, no creo que se lo pusieran por el de Granada, sino por la mala ralea de sus ocupantes, tan salvajes, tan leones. También hay que decir que no son todos fieras. Menos mal. Pero ya se pueden imaginar qué tal es la cohabitación entre bestias y humanos.

En ese «parque zoológico» cada familia ocupa unos treinta metros cuadrados. Para seis o siete personas... Esas mini-viviendas-dormitorios son auténticas bombas. La promiscuidad provoca terribles explosiones causando escenas del burlesco divertido a la tragedia inmoral. Las paredes, tan finas, que separan las casas, no ocultan ninguna intimidad. Todo se oye, todo se escucha. ¡Qué dicha para los niños y muchos que ya no lo son, que gozan con tanto morbo!

Los críos, incluyéndonos a Ernesto, mi hermano, y a mí, estamos en buena escuela. La de la vida, cruda, cruel, real, horrible, expuesta al rojo vivo. Una escuela que nos fascina y nos gusta más que la otra, la académica.

Qué alegría cuando nos coge en casa uno de esos follones. De común acuerdo, todos en primera fila. Hasta que mi madre o mi padre, si es de noche, nos arrancan a mi hermano y a mí del teatro improvisado. Qué pena. Sin una pizca de remordimiento por sus indelicadezas, nuestros padres nos llevan a casa de la abuela o al parque Lyautey, cerca del barrio, a respirar aire puro y a escuchar el cantar de los pájaros. Ese cambio bucólico no es de nuestro gusto, pero como no se nos pide nuestra opinión... Mañana, o después, de regreso al nido familiar, un amigo bien aventurado que haya asistido hasta el final, nos relatará los más mínimos detalles de la contienda.

Menos trágicas y más jocosas son las peleas entre dos mamás, después de que sus respectivos retoños lleguen a casa llorosos por haberse pegado mutuamente. Se inicia entonces entre las dos hembras «leonas» una pelea con tirones de pelos, arañazos, patadas e insultos que hubiesen avergonzado a las comadres de Brive la Gaillarde, cantada por el poeta francés Georges Brassens. Nosotros, el menudo público, para salpimentar aún más el pugilato, apostamos por la madre vencedora. Los hijos causantes del conflicto, ya ellos reconciliados, son los más atentos a los resultados.

«Cine de Barrio» de los años 50 en Casablanca.

Como mencioné anteriormente, en mi patio no sólo hay leones sino, por el contrario gente buena, extraordinariamente buena que ofrecen lo poquísimo que tiene, dinero, tiempo, calor humano, cariño, saber. Dan de comer a los que pasan hambre. Se ocupan de los enfermos y de las madres recién paridas, escuchan las penas de los afligidos, enseñan a leer a los analfabetos, crean asociaciones deportivas, mini conjuntos musicales y tantas otras cosas bellas.

Mi padre está siempre implicado en todas esas tareas magníficas.

Esas personas tan altruistas se ocupan de sus misiones después de largas horas pasadas en talleres, fábricas o empresas.

Pues sí, al fin y al cabo mi rue de l'Allier ha sido, para mí y para muchos niños más, un extraordinario aprendizaje de la vida. Vida en aquel entonces, durante y después de las guerras, la Civil Española, y la Segunda Mundial, que hace padecer a los obreros una terrible crisis de alojamiento. Los españoles de mi calle están allí por la misma causa, unos por haber tenido que salir de España antes de la Guerra Civil, cansados de pasar hambre y otros, los de después de la guerra, huyendo de un régimen, para ellos, inaceptable.

LOS APODOS

Mi buen amigo León, al regresar de la Península, donde había pasado sus vacaciones, se acerca a mi tienda para saludarme. Me habla de su estancia por España, tan agradable y feliz, y sobre todo por el encuentro con un antiguo amigo de Casablanca, un tal Juan Ortega que se fue de Marruecos en los años 60.

–Tú lo has conocido, me dice León. Vivía cerca de la Plaza Verdun.

–Juan Ortega ¡No sé de quién se trata!

Es que por entonces no nos conocíamos por nuestros apellidos, sino más bien por los apodos que teníamos casi todos.

En mi patio, una vecina que lleva ilustre apellido y nombre, Isabel Cervantes, es conocida por Isabel *la Tuerta*. Ya comprenderéis el porqué. Otro señor muy miope, que lleva por supuesto gafas, se le llama Manolo *Gafas*. En el patio de enfrente viven dos Conchitas, valiente lío, pensaréis. Pues no. Una es Concha *la Chica* y la otra Concha *la Joroba*. También comprenderéis la razón. Al señor Eulogio, que fue cochero tantos años, ahora que no trabaja se le sigue llamando Eulogio *el Cochero*, aunque no le queden ni ruedas, ni coche, ni caballo al pobre. Su señora, una bonita viejecita gaditana, es Victoria *la Vieja* para diferenciarla de su vecina y tocaya, sin apodo ella, Victoria. Tenemos una Antonia *la Costurera* y a otra Manuela *la Costurera*, una, *la Boticaria* (ignoro sus nombres y apellidos) ¡pero como su marido trabaja en una botica, hoy en día, farmacia! La esposa de un refugiado vino unos cuantos años después de que llegara su marido de Madrid. Por su acento tan raro, insólito en nuestra calle andaluza, a la pobre se la llama Mercedes *la Fina*. También hay una María *de los ladrillitos,* porque vive en una casa cubierta de azulejos. Por entonces no sabíamos que, en español, a los ladrillos de colores se les llamaban azulejos. Para nosotros el azulejo era el polvo añil que se ponía en el último enjuague de la ropa blanca. El mercado del barrio, o sea el *marché* de la Puerta Marrakech, tiene tres charcuterías pertenecientes a Pepa *la Charcutera*, a *los Sevillanos* y a Daniel.

Otras personas llevan de manera indisoluble nombres y apellidos, pronunciados de un tirón, tal Carmen Tueski, Isabelita Fullera, Manolo Valdivieso y muchos más. Así que con tantos apodos y cosas raras, hoy, después de treinta años, no veo quién será ese Juan Ortega, del que me habla León.

LOS INMIGRANTES

Informativo de las veinte horas, en el canal TVE internacional. Un tema casi diario pero siempre tan vergonzoso y lamentable. Los inmigrantes.

Hombres, mujeres, niños que lo que más desean en sus pobres mundos es ser eso, inmigrantes. Para eso, huyen de sus países con temeridad y desesperación sabiendo que muchos, muchísimos, van a perder sus tristes vidas. Pero solo les importa alcanzar la tierra española, en patera. Saben que no serán bien acogidos y que a casi todos los devolverán allí, de donde vienen, a sus tierras, y llenos de rabia, amargura, dolor, de nuevo a sobrevivir con la humillación del fracaso y completamente arruinados. Al igual que toda la familia, que con tanta dificultad consiguió el dinero para el embarque en una patera para el futuro inmigrante que, con suerte, pensaban ellos, ese «país rico» iba a acoger dignamente, para poder vivir decentemente y mandar todo lo posible al otro lado del mar, a todos los suyos.

Pobres seres. Cuánto sufrimiento y apuros para nada. Pero no para todos: Cuántos sucios ingresos enriquecen inmundas mafias.

Esas imágenes me avergüenzan siempre, me dejan mal sabor de boca. Pensativa en un *flash-back* recuerdo los viajes de Pepe Ortiz y de Adela Lara, de La Línea a Casablanca.

Esos viajes los emprendieron los dos, de mutuo acuerdo y con la ayuda de toda la familia Lara. Era la única solución para acabar con esa miserable vida que arrastraban todos, en Andalucía. Tenían la firme convicción de que, en ese país desconocido, encontrarían mejor suerte para ellos, para los niños que tendrían y, después, para la demás familia de Adela, padres y hermanos. Un futuro digno los esperaba. Estaban seguros

Y así fue. En Casablanca no conocieron jamás ni el hambre ni el frío. Sus hijos fueron a la escuela. Se hicieron hombres y mujeres honrados y trabajadores. Los parientes, que quedaron en la Línea, se vinieron para acá. Mis abuelos murieron en este país con sus sueños concretizados. Esos mismos sueños que llevan en sus almas estos de las pateras.

Casablanca: the Portuguese dock and the Old Medina, 1907. Photo by Lieutenant Etévé.

El viaje de Pepe Ortiz

Mis abuelos, casados en La Línea de la Concepción, tienen ya dos hijos. Desgraciadamente, La Línea no se muestra clemente con ellos. Mismo paro que en San Fernando y la misma miseria.

José el carpintero se desespera. Humillado no sabe cómo sacar a su familia adelante. ¿A dónde ir? Toda Andalucía vive en igual pobreza.

Un bendito día, llega la carta de su hermano Manolo, el ebanista. Este, una mañana se atrevió e hizo como muchos otros: cogió el barco que lo llevó de Algeciras a Casablanca, un lugar por ahí de África, con los suyos por delante. Sus aspiraciones se cumplieron. En esa ciudad, con nombre español o portugués, enseguida se encontraba trabajo y vivienda. Y sus hijos fueron a la escuela.

Quiso compartir sus alegrías con su hermano José. Le escribió –o no sé yo, le escribieron–, una escueta carta:

> Pepe, ven «p'acá». Enseguida encontrarás trabajo. Luisa y yo te esperaremos en nuestra casa. Tráete solo tu caja de herramientas. Hasta pronto.
>
> Manolo

Pepe nada más recibida la carta, se va a Algeciras a informarse. Una sola vez, cada dos meses, sale un barco para Casablanca.

Mis abuelos no se lo piensan. Venden lo poquísimo que les queda, lo justo para comprar un billete para la próxima travesía. Los días se suceden lentamente. Tras la puerta, la ligera maleta, con la ropa de Pepe y la indispensable caja de herramientas. Adela mira con el corazón apretado el pequeño equipaje de su marido. Cuánto hubiera deseado marcharse con él y los pequeños. Qué dura va a ser la separación. Pero no tienen el suficiente dinero para los cuatro. Sabe con certeza que su esposa economizará lo máximo para reunir el importe de los otros billetes.

La víspera del embarque, la fatalidad quiere que el más pequeñito de los niños se ponga malo. Llaman angustiados al doctor. El diagnóstico cae como una cuchilla. El crío no pasará la noche. Y así es. Loco de dolor, Pepe, con algunas maderas que quedan por casa, hace, con sus propias manos el ataúd al pequeñito.

Se le plantea uno de los peores dilemas que han surgido en su vida. Si se queda

49

con los suyos, en La Línea, para el entierro, pierde el barco. Si pierde el barco, ni tiene más dinero para comprar otro billete, ni se puede quedar dos meses, parado. Si coge el barco, deja a Adela en ese momento tan malo, sola…

Cuántos «peroquédebohacer»…

Adela, por primera vez quizá en su corta vida, toma la drástica decisión que se impone. Con un temple extraordinario, le dice a su marido:

—Vete, Pepe, mañana. Yo no estoy sola. Mis padres y familia me acompañarán. No me dejarán nunca mientras tú no estés. No te preocupes por mí. Vete para esa tierra, busca trabajo y tú verás qué pronto estaremos los tres juntos.

Ante tanta entereza, José se inclina. Por la mañana temprano, Pepe sale de su casa, de La Línea, de España. Embarca para otro lugar, con la esperanza de encontrar mejor vida.

En el barco, se pasa casi todo el día, en el puente, escrutando el horizonte. Por fin aparece, a lo lejos, la tierra prometida, Casablanca. Más cerca, Pepe la ve tan grande, comparada con La Línea. Pero qué raro, no se divisa ningún puerto, solo playa de arena. Ante su asombro, el navío atraca, todavía en alta mar. De la costa, una multitud de barcas se dirige hacia él, cruzando con una asombrosa temeridad las enormes olas que forman la temible barra atlántica. Ahora rodean el buque. Los barqueros, hombres robustos y de piel morena, les hacen señas a los pasajeros para que salten a los botes. Los miembros de la tripulación dicen que sí, que ahí se les acaba el «crucero». Entre gritos, risas, miedo, todos se lanzan fuera bordo. Los del barco le echan sus enseres. Pepe recupera la maleta y la caja de herramientas. Los va a acurrucar en la barca cuando lo detiene el pasero: tiene que pagar el cruce hasta la orilla. Pepe, desconcertado, no puede creérselo. Pensaba que el billete pagado en España era para la travesía completa. Además no tiene ni un centavo. Con una sonrisa, comprensivo, el otro le enseña su caja de herramientas. Resignado, lleno de despecho, tiene que deshacerse de lo que más valora en esos instantes: sus segundas manos. ¡Otro mal golpe de suerte!

Con asombrosa ligereza llegan todas las barcas a unos cuantos metros de la orilla. Nueva parada. ¿Qué pasa ahora? Asombrado, mi abuelo ve unos hombres nadando hacia ellos. Llegando a las pequeñas embarcaciones, cada nadador cogerá en sus anchos hombros a un pasajero y lo llevará hasta la arena.

Aquí empieza la vida de inmigrante de José Ortiz Ponce.

Casablanca, tierra prometida

En la cálida arena blanca los dos hermanos, Pepe y Manolo, se abrazan emocionados. Después, se dirigen hacia la casa del segundo sin pronunciar palabra. Ya habrá tiempo de hablar. Ese silencio le permite a José observar todo: las callejuelas, las tiendas, las personas…

Por cierto, se cruzan con bastantes conocidos de su hermano que los saludan en andaluz. Llegan por fin al patio donde habita la familia. Pero, ¿será posible? Lo mismito que ha dejado en la Península: pozo central, ropa colgada en los cordeles, paredes blancas encaladas, macetas cuajadas de claveles, cóleos, alegrías de la casa, corales, helechos, rosas, albahaca, azucenas… El patio está envuelto en aromas conocidos: potajes, guisos, pescaditos fritos…

¿Se halla José verdaderamente en Casablanca, de África, o sigue en La Línea, Cádiz, Algeciras?

Ahora los reciben Luisa y los suyos, muy cariñosamente.

A los pocos días, encuentra mi abuelo trabajo de carpintero, con sueldo decente. Tan decente que, con horas suplementarias, puede permitirse el lujazo de ahorrar para los billetes de los suyos.

Pocos meses después, nuevo encuentro en la playa. A pesar de ser hombre con mucho temple y con eso de «que los hombres no lloran», el pobre Pepe no puede reprimir las lágrimas de la emoción que lo embarga estrechando a Adela y al niñito en sus brazos. Saca del bolsillo un pañuelo para secar sus lágrimas. Horrorizada, Adela señala el pañuelo. Y se le para el llanto que ella también tenía.

—Ese no es el blanquísimo pañuelo que te puse con tu ropa. Está «empercochao». Esta pobre Luisa no ha cambiado ni porque se haya venido al final del mundo. Menos mal que yo estoy aquí para que puedas ir limpio por la calle.

Con estas palabras tan rotundas, Adela cogida del brazo de su Pepe y con el niño de la mano, va hacia la nueva casa que le ha alquilado su marido. Está en otro patio. Bonito y típico. En vez de un pozo central, se alza, erguida y majestuosa una palmera que le dio el nombre al patio, «el Patio de la Palma». Adela contempla lo que la rodea y, como Pepe, se emociona de la similitud con sus calles y patios linenses. Pero reprime con intensa fuerza toda clase de nostalgia. Una página de su vida se ha empezado a escribir cuando ha pisado la arena de Casablanca; con esa lucidez que la caracteriza y el corazón lleno de proyectos e ilusiones, le dice a José:

—Hoy iniciamos una nueva vida para los tres y los que tienen que venir.

Presiente que aquí no acostará a uno de los suyos con hambre. Y así fue. Una larga existencia la espera en esta Casablanca que amará hasta su muerte.

323 CASABLANCA (Maroc) - Place de Verdun

Plaza de Verdún

1906. Llegada de mis abuelos a Casablanca.

Han vivido en el Patio de la Palma bastantes años, con sus días buenos y otros menos buenos. Nuestra dulce Adela se nos ha mostrado verdaderamente prolífica. Ha parido más de veinte veces. Doce hijos han logrado sobrevivir: siete varones y cinco hembras. Ni arrancando la palma hay sitio para esa tribu ahora. Hay que buscar casa grande y barata.

Adela no quiere alejarse de su entorno. Pepe no desea vivir más en patio con vecinos, los unos sobre los otros. Encuentran lo que los dos buscaban. En la plaza de Verdun. Es la primera plaza, fuera de la Medina, o sea el barrio moro, intramuros, de la moderna capital que es ya Casablanca, pero a la vuelta de la esquina del barrio que han dejado. Todos contentos.

Un caserón vasto, rodeado de un terreno la mar de espacioso. Es un conjunto de viviendas parecido a una caravanserra oriental. Alrededor de un hermoso patio central techado hay cinco viviendas. En cuatro de ellas viven familias judías, en la quinta, mis abuelos. La puerta que da a dicho patio se ha condenado poniendo un armario tras ella.

Tengo que resaltar que en ese bonito patio se oficiaban ceremonias religiosas judías a las cuales yo asistía discretamente, con mi amiga hebrea, Arlette.

En estos instantes, de manera casi palpable, surge en mi mente una de estas ceremonias en la sinagoga-patio.

Para tan solemne hecho, lo engalanan con suntuosidad. Del techo iluminan lustres dorados y cirios multicolores que infunden una luz tenue y dulce a toda la sala. Bellas alfombras recubren el suelo. En el centro de una pared, domina un púlpito donde el rabino u otra persona de entre los fieles dirigen los rezos y responde a las múltiples preguntas que se le hacen. Estas plegarias y discusiones están entrecortadas por cánticos bellísimos. Bonitos recuerdos inolvidables…

Volvamos a nuestra «caravanserra». Frente a las casas hebreas, se erigen soberbias palmeras cargadas de pesados racimos de dátiles, en otoño. En «tierra española» se encuentra desde no sé qué tiempo, algunas moreras y cuatro gigantescas heveas llamados por nosotros «los cuatro árboles». De esos cuatro árboles podría llenar páginas y páginas. Han sido testigos de tantísimas horas de juego de mis tíos, los más jóvenes, y de todos sus amigos y, luego, de los nietos, nietas, vecinitos y amiguitos de estos.

Periódicamente, a su debido tiempo, el abuelo corta las ramas de los cuatro árboles, para podarlos, supongo. Una cantidad impresionante de hojas, troncos y varas cubre la tierra, por más de dos metros de altura. Según la edad de los chavales, ese montón de follaje se convierte en montañas rocosas altísimas muy difíciles de escalar, o se metamorfosea en el bosque encantado donde habita el temible «Enano Saltarín», o se transfigura en una parte oculta de Sierra Morena refugio secreto de unos bandoleros buenos y justos que roban a los ricos para ayudar a los pobres. Y como la imaginación de los niños no tiene límite, ellos, en esos cuatro árboles, horas tras horas de juegos, sueñan y se evaden.

A su llegada a tan idílico lugar, José, que tiene buena mano, ha plantado caña-coros (conocidos aquí por cañas), claveles olorosos, azucenas delicadas y rosas preciosas. Los rosales de mi abuelo son únicos. Dan unas flores que no he visto otras tan bellas, lindas y hermosas por sus tamaños desmesurados. Bueno, sí. Tan bellas y hermosas las ha conseguido cultivar mi hermano en su pequeño pero tan precioso jardín de Cercié, en Francia. Rosas únicas también.

Volvamos a la casa propiamente dicha de los Ortiz. Está compuesta por dor-mitorios largos, amplios, al igual que el comedor. Los suelos, de parqué, son encerados los sábados por mi tía Antonia. Cuando llegan las lluvias, el abuelo recoge el serrín que sueltan las maderas pasadas por su torno de carpintero. Con ese serrín, se rocían los suelos, por dos razones: protege el parqué de las pisadas mojadas, con barro y da calor a la casa.

Yo hubiera vertido el serrín de madera recién serrada sobre todo por el aroma que trasminaba a todo el hogar. Aroma guardado en mi memoria olfativa para siempre.

Fuera, frente al comedor, Pepe ha construido una cocina cuadrada donde lucen un aparador, una mesa y muchas sillas, hechas por él, por nuestro maestro carpintero. En la mesa, grande, de pino blanco, pueden comer unas quince perso-nas. Pocas para que todos estén cenando o almorzando juntos. Primer turno los hombres. En el segundo, las mujeres y los niños. ¡Hay tantas bocas en esa casa!

En cuanto pudo, Adela se trajo a sus padres y tres hermanos, de La Línea.

Pasan los años. Guerra Civil en España. Guerra vivida con intensidad por la colonia española. Mismo odio y enemistad entre los que fueron familia, amigos, vecinos, conocidos antes…

Cuatro hijos de Adela y Pepe se marcharon al frente voluntarios, para defen-der la República: Pepe, Ricardo, Guillermo y Antonio, casi un niño y dos de sus sobrinos, Pedro Ortiz, hijo del ebanista, y Francisco Cantero, hijo de Ana Lara, hermana de mi abuela.

Tras ellos, parten hacia Alicante, mi tía María, esposa de Pepe, y Carmela, esposa de su primo Pedro, para reunirse con sus maridos. Qué locura. Finalizada la guerra, mis dos tías son las primeras en regresar, pero Carmela con dos hijitos nacidos en la Península, bajo los bombardeos y María también con tres, más un bebé, Juanita, que nació en un campamento de refugiados, en el sur de Francia, en Orleansville. Poco después, llega Antonio.

Guillermo, mi padre, preso en la batalla del Ebro, es trasladado a Tarragona, a un convento de carmelitas convertido en campo de concentración. Se marchan pronto los militares, pero confían los presos a los curas. El alto mando sabe que esos curas serán tan eficientes como los más implacables de los soldados. De Tarragona, mi padre es llevado a otro campo de concentración, en Barcelona. Papá poco contó de lo pasado en la guerra atroz. Más comentó su estancia en Barcelona. Fue nombrado capitán general de los piojosos, un capitán general piojoso que enseñó a leer y a escribir a tantos y tantos compañeros de miseria. Los distrajo con su saber, los hizo reír con sus chistes y su gracia innata, los reconfortó, cuando estaban decaídos, con su bondad y su psicología, los alegró con sus cantos.

Esos hechos, tan nobles y generosos, no nos los ha contado él. Los sabemos por Pedro Bueno que se casó después con mi tía Adelita; por Ricardito García, su amigo de siempre, y otros más que tuvieron la desgracia de permanecer en ese infernal campo de concentración. Por último, acabó su deportación en Larache.

A mis tíos Pepe y Ricardo, después de varios años encarcelados de manera horrorosa, en particular Pepe, le otorgan una libertad vigilada, es decir, fuera de la cárcel, pero sin permiso para trabajar, con la obligación de presentarse a Comisaría regularmente donde le repiten con ironía cruel:

—¡Eres libre, Pepe!

Libre de morirse de hambre y de frío. Esa libertad duró catorce años. Malditos catorce años que van a amargar la vida de toda la familia. Menos la de Adela.

A ella no la embarga la amargura. La consume, la atormenta la angustia el sufrimiento. Pero no cede ni capitula ante el dolor. Durante catorce largos años va a emprender una lucha incesante. Un triángulo se ha trazado en su vida: su casa, la Comisaría francesa y el Consulado de España. Cuántos expedientes le han pedido preparar. Nunca completos.

—Madame Ortiz, vuelva dentro de equis tiempo, estudiaremos detenidamente estos papeles.

—Señora Ortiz, parece que hoy no falta nada. Ya le escribiremos cuando se estudie bien el caso.

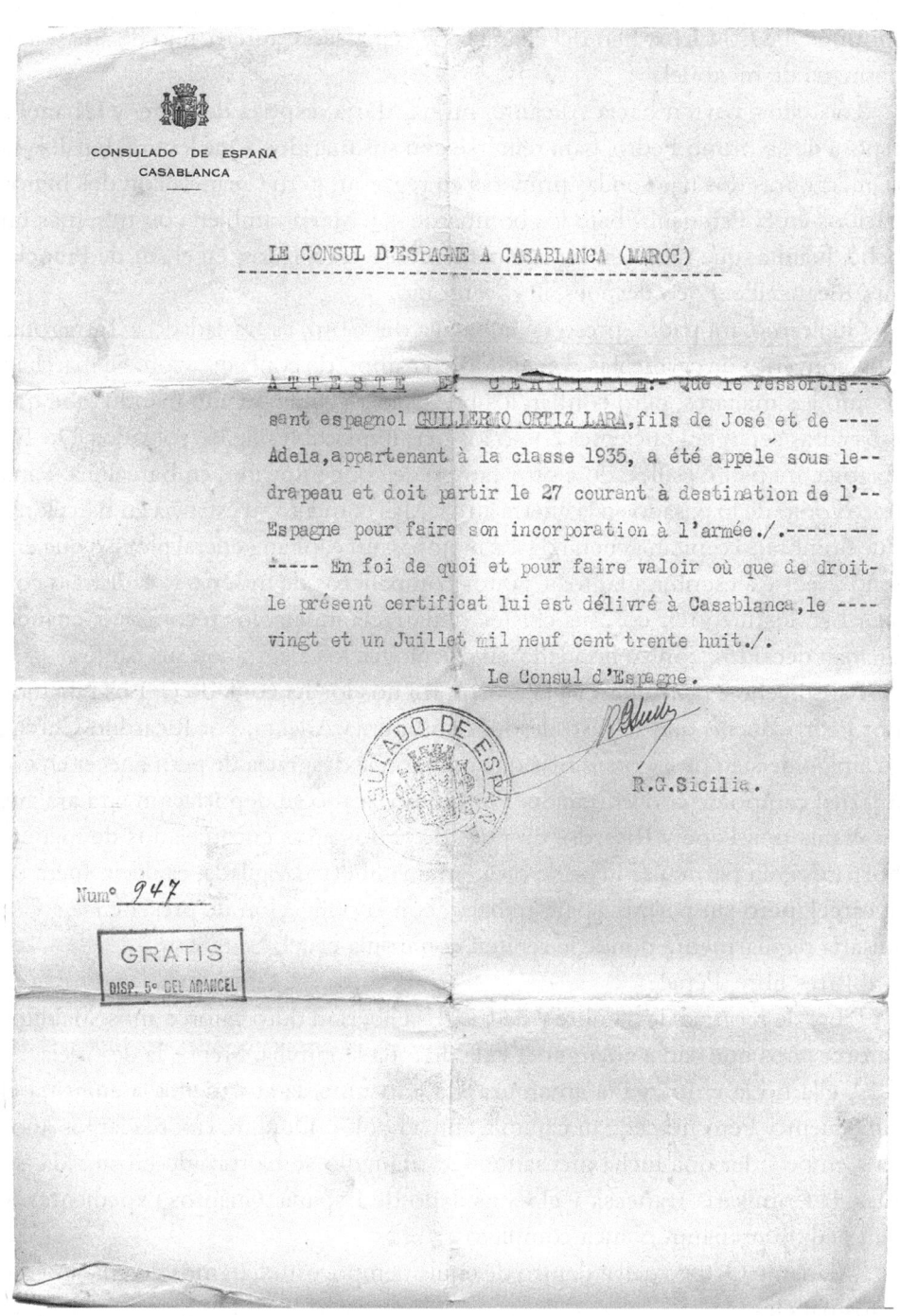

CONSULADO DE ESPAÑA
CASABLANCA

LE CONSUL D'ESPAGNE A CASABLANCA (MAROC)

ATTESTE ET CERTIFIE: que le ressortis---
sant espagnol GUILLERMO ORTIZ LARA, fils de José et de ----
Adela, appartenant à la classe 1935, a été appelé sous le--
drapeau et doit partir le 27 courant à destination de l'--
Espagne pour faire son incorporation à l'armée./.---------
------ En foi de quoi et pour faire valoir où que de droit-
le présent certificat lui est délivré à Casablanca, le ----
vingt et un Juillet mil neuf cent trente huit./.

Le Consul d'Espagne.

R.G.Sicilia.

Num° 947

GRATIS
DISP. 5° DEL ARANCEL

Incorporación a filas de Guillermo Ortiz

La letanía escuchada año tras año, para aburrir a cualquiera. Menos a Adela.

Tengo una escena grabada en mi memoria que, cuando resurge en mí, aún me conmueve. Como tantas veces me he querido quedar en casa de mis abuelos a pasar la noche. Todos duermen. Tengo sed. Sin encender la luz, sin hacer ruido, descalza, me levanto de la cama para ir a beber, en el comedor. Está casi oscuro. Y la veo a ella, a mi abuela. Inmersa en su desconsuelo, el llanto la ahoga. Un llanto silencioso, patético, que me desgarra el alma. Quiero ir hacia ella y besarla muy fuerte, secarle las lágrimas. El pudor me lo impide. Además siento que a Adela no le gustaría que se la viera deshecha. Me retiro sigilosamente para volver a mi cama. Allí, la cabeza hundida en las sábanas, me toca llorar a mí. Qué pena me da mi abuela guapa y buena. Hasta que me vence el sueño. Inquieta, me levanto al otro día con temor y aprehensión, voy a la cocina. ¿Estará Adela igual de desesperada que ayer noche? Qué va. Como si tal cosa, está preparando el desayuno para todos, charlando animosamente. De repente, lanza esta frase:

—A ver si tengo un rato esta mañana y me paso por la Comisaría.

Y sigue su tarea.

Y consiguió el regreso de sus dos hijos. Primero llegó Ricardo. Después Pepe.

Admirable Adela. En esos catorce años de pesares, agobio e incertidumbre, hay un capítulo pendiente, eludido unas páginas antes, que concierne a Guillermo.

Lo último que mencioné fue que está en Larache, en Marruecos. No en el Marruecos francés, sino en el español, colonia española bajo el mando de los fascistas y bastión militar. Ya conseguir que lo trasladaran a Larache fue una suerte increíble, donde el papel de mi madre y de mi abuela tuvo mucho que ver. No se desanimaron ante tantos requisitos y recorridos agobiantes de un sitio a otro en busca de infinidad de papeles pedidos por el Consulado español y la Administración francesa.

En la ciudad del norte, mi padre vive la misma situación que sus dos hermanos en la Península. Está en libertad condicional. Puede hacerlo «todo». Menos desplazarse sin salvoconducto, hacer política, trabajar, etc... Sobrevive gracias a una bondadosa familia republicana que le da cobijo en su casa y un plato de comida, cuando la hay.

Mi madre, después de dos años separada de mi padre, decide reunirse con él nada más llegar Guillermo a Larache. Los Ortiz intentan disuadirla de no cometer esa locura. ¡Meterse voluntariamente en la boca del lobo! Por muy negra que le pinten la situación, Esperanza no renuncia. Su tenacidad se ve recompensada. Obtiene un salvoconducto para pasar unos días con su marido. Allí, los dos van a compartir el frío, el hambre, la miseria y el terror, durante dos años.

La represión es tremenda contra los sospechosos de fomentar la subversión contra el régimen. Todos los habitantes están controlados, vigilados, espiados. En particular los que lucharon por la República. ¡Los enemigos públicos!

Toda esa tremenda situación no consigue nublar el amor entre Guillermo y Esperanza, tanto tiempo separados. Y un bebé se anuncia... El panorama cambia totalmente. Los dos pueden sobrevivir en Larache. Pero el niño que va a venir al principio de verano, no. Tiene que nacer imperativamente en Casablanca. De nuevo Adela va a emprender una cruzada casi imposible: el regreso de su hijo y su nuera. No fue fácil, pero se consiguió. En la primavera de 1941 volvieron a pisar suelo de Casablanca, Guillermo y Esperanza, conmigo en su vientre. Y a parar a la casa de la Plaza de Verdun. Que se apretujen todos un poquito más. Hay que hacer un huequecito para los recién llegados.

Los ya allí son: los abuelos, los tíos y tías solteros, o sea, Antonio, Paquito, Jaime, Adelita, Armanda y Angelita.

Los llegados después de la guerra: Tita María con Pepito, Paquito, Adelita y Juanita. Mi tía Carmela con Manolito y Pepito (de su marido, desaparecido en una batalla, nunca se supo de él). Mi tía Antonia, viuda y su hija Mariquita, la más bonita de mis primas, rubia de ojazos verde esmeralda.

Aquí no acaba la lista. Mis abuelos tienen corazones extensibles, así que han acogido a bastantes refugiados. Algunos, salidos de campos de concentración, para unos días, otros durante años... Un matrimonio, él francés, ella española, los Laurent, fueron acogidos dos añitos. Cuatro se quedó Fernando Bebía, guitarrista fenomenal. Quien batió el récord fue Manolo Valdivieso que permaneció en casa quince años.

Esta enorme comunidad cohabita en perfecta armonía, sin distinción ni privilegio, sean Ortiz o no. Adela lava la ropa de todos y cocina. Le incumbe también la tarea de la compra, en el mercado de la puerta Marrakech, llamado a la francesa, el *Marché*. A su regreso, llega acompañada por un burro, siempre el mismo, cargado con dos canastos repletos de verdura, frutas, pescado, chacina... Cierra el tan pinturero conjunto el amo del burrito. A veces el animalito viene solo, conoce la casa. Adela estará comprando churros en la tienda de Fatiga, el churrero, o charlando un «ratito» con una conocida. A mi tía Antonia le toca la tarea colosal de la limpieza de esa casa tan grande, la de remendar y planchar la ropa de todos, almidonar... Qué par de mujeres tan trabajadoras y extraordinarias. Qué geniecillo bueno derrama tal armonía, contento y solidaridad entre acogidos y acogedores, todos tan diferentes, heterogéneos y dispares. ¿Geniecillo bueno o sentimientos nobles y desprendidos, derrochados por todos los Ortiz e inculcados desde la cuna, por ella, Adela?

REPRESENTACIÓN DEL
GOBIERNO NACIONAL
DE ESPAÑA
EN MARRUECOS FRANCÉS
RABAT

20 Nº 000,697 20
DELEGACION NACIONAL
CASABLANCA
ASISTENCIA SOCIAL
20 Veinte Francos 20

Ruego a las autoridades de la Frontera Española

no pongan impedimento alguno a *Dña Esperanza*

Macías Chacón

de nacionalidad *Española* con pasaporte

numero *389* expedido en *Blanca*

con fecha *14* de *Junio* de 19 *40*

que se dirige a *Larache y regreso (no pudiendo*

permanecer mas de seis días)

Dado en Rabat a *26* de *Junio* 19 *40*

El Delegado.
P. D.
El Consul de España

20 Nº 000,304 20
DELEGACION NACIONAL
CASABLANCA
ASISTENCIA SOCIAL
20 Veinte Francos 20

Lleva automovil número

Matrícula

Salvoconducto de Esperanza Macías

Tarjeta de residencia de Esperanza Macías

¿Habéis echado la cuenta de los componentes de la tribu que residen en la Plaza de Verdun? Esos son los fijos. Aparte están los domingueros. ¿Cómo olvidar los domingos en casa de los abuelos? Imposible. Como la mesa de la cocina se hace pequeña, en el patio, sobre caballetes, se colocan tablas cubiertas de manteles almidonados. Vienen los otros Ortiz que no viven aquí, la demás familia y un montón de amigos. Adela ha frito montañas de pescado o ha guisado berza, potaje o caracoles. Algunas veces, hasta hay callos. Para acompañar estos sabrosos guisos, cerveza, vino y sobre todo pan. No cualquier pan. El que Adela ha amasado y recién salido del horno.

Otro cuadro archivado en mi memoria: mi abuela amasando el pan.

Sobre la mesa de la cocina, en un lebrillo, los torneados brazos blancos de Adela se hunden en la masa compuesta con cinco kilos de harina, sal, agua tibia y levadura. Sus puños trituran el amasijo que saca después fuera del lebrillo para seguir amasándolo en la madera inmaculada de la mesa. Con ritmo y cadencia regulares sigue el trabajo. La masa es alargada, revuelta, machacada, apelotonada,

60

de nuevo estirada, hasta que se le forman pequeños hoyitos. Mi abuela, entonces, la recoge y forma una bola gordísima que divide en cinco partes. Con suavidad ahora, amasa cada trozo. Según su fantasía les da la misma forma a todos o mezclará barras, bollos, trenzas… Los panes, colocados en una tabla especial hecha por el abuelo, son cubiertos, primero con una tela fina y después con una manta no muy pesada, pero lo suficiente como para darle calor, sin aplastarlos. Tienen que «subir» por lo menos una hora, en un lugar donde no haya corriente de aire. Cuando Adela, hundiendo delicadamente un dedo en la masa, considera que la subida es correcta, coge un cuchillo muy afilado y hace «incisos» sobre cada pan; según su inspiración, también da un corte central a lo largo del pan, o tres, al bies. Se acaba su faena.

Ahora le toca a una de sus nietas llevar el pan al horno. Casi siempre, vamos Juanita y yo. Al entrar en el horno, una bocanada de calor nos invade. A tientas, pues la oscuridad es casi total, le entregamos nuestra tabla al hornero. Con destreza y cuidado coge cada pan en sus manos y lo pone en una pala larguísima de madera que mete en el fogón ardiente, entre múltiples panes ya cociendo. Sin cesar, va cambiando de sitio unos y otros, más cerca del calor, más lejos. El olor que se desprende de la cocción es deliciosamente embriagador.

En las frías tardes de invierno, cuando nos sobra tiempo, mi prima y yo nos quedamos en un rinconcito esperando la cocción de nuestros panes. Ahora nos los saca el hornero con su pala. Los suelta en nuestra tabla. ¡Qué maravilla al verlos dorados, perfumados y tan crujientes cuando los vayamos a comer! Salimos del lugar, las mejillas ardiendo, al igual que nuestros panes. Quién resiste a la tentación de pellizcarlos. Imposible. Un solo pellizquito en el del medio. ¡Qué bueno está, aunque esté quemando! Ojalá no sea tita Antonia la que nos vea llegar. Vaya bronca nos echa cuando ve que los panes no vienen intactos. Abuela no nos regaña. ¡Ay mi abuela! Me ha transmitido ese placer que perdura aún en mí: amasar el pan y llevarlo a cocer en el horno del barrio. Mis nietos y mis hijas adoran mis bollitos…

Hablando del tema del pan tengo que confesar que es mi alimento preferido. Puedo pasar de todo, menos del pan. Y creo saber el porqué de esa pasión desmesurada. Mi madre cuenta que de todas las escaseces que padeció en Larache, la que más la hizo padecer, en el sentido total de esta palabra, fue la falta de pan. ¡Soñaba por la noche con pan! Pero no con cualquier pan: con el de Adela. Y ese tormento se agudizó durante su embarazo. A su regreso, en Casablanca, los primeros días se los pasó comiendo pan y, por si fuera poco, se acostaba con la talega del pan pegadita a su almohada. Antojos del embarazo, que por suerte pasó pronto. Pero que dejó huellas: mi querencia tan fuerte por el pan.

Este capítulo sobre la plaza de Verdun no consigo acabarlo. Me lío y me enrollo con cuarenta temas. Y no lo puedo finalizar sin hablar del abuelo carpintero.

Pegado al comedor se ha construido un pequeño taller de carpintería. En las paredes están colgadas las herramientas. Buena parte del local está ocupada por las maderas. ¡Cuántas clases hay! Roble, pino, caoba, fresno…, cada cual con su olor y color tan específico. Dichas maderas están colocadas según sus corte: tablones, traviesas, tablas, listones, planchas… Fuera del tallercito, un torno está empotrado en el suelo. Cuando José trabaja en su máquina se difunden por toda la casa los aromas de los maderos cerrados. Los niños nos ponemos a su alrededor para disfrutar de un espectáculo que nos encanta. Como saltando del ruido ensordecedor de la máquina, los larguísimos lazos de copos de madera, ballet diabólico, se disparan por todas partes. Algunos, los más atrevidos, se posan sobre la cabeza y los hombros del abuelo, al igual que el serrín. Volando primero hacia el cielo acaban por caer al suelo, pero eso sí, antes llenándonos a todos de su polvo fino y oloroso. El que más recoge es Pepe que está tan cerca del torno… Casi cubiertos por las cintas y el serrín, mi abuelo parece un personaje raro salido de un libro de cuentos. Después cogeremos las virutas para mil cosas: haremos pelucas, barbas postizas, lazos de gauchos y multitud de objetos que servirán para juegos que inventaremos en esa época de pocos juguetes.

Cuántos recuerdos hemos guardado todos de la casa de los abuelos de la plaza de Verdun. Recuerdos entrañables, inolvidables, maravillosos de un hogar donde reinaba la alegría, la generosidad, refugio de muchos necesitados, donde todos se encontraban tan a gusto. En una época, sin embargo, increíblemente difícil.

CASABLANCA LA BELLA

1912. Casablanca es la capital económica de un Marruecos bajo Protectorado francés.

Ya los buques, barcos o navíos no atracan antes de la barra pueden acostar en el puerto, moderno, seguro, eficiente, uno de los más grande de África del Norte.

La Medina, llamada ahora «antigua medina», y el Mellah (la Judería) se quedaron dentro de sus primeras murallas. Casablanca empieza fuera de ellas.

Es una ciudad que se ha querido moderna pero incluyendo en su modernismo muchos toques tan bonitos de la arquitectura mora. Todos los edificios administrativos, como el Tribunal, Correos, Banco de Estado, Ayuntamiento o Servicios Municipales, y otros más, son auténticas joyas de primoroso diseño moruno. Los Servicios Municipales es un palacete con suelo de mármol. Muchas de sus paredes están pintadas de frescos con temas orientales. Numerosos patios interiores, sembrados de plantas lujuriosas, así como las fuentes que susurran melódicamente, dan alma y vida al lugar.

Tres clases de edificios componen la ciudad: los inmuebles, las *villas* y los patios. Por muy modernos que los inmuebles sean tienen casi todos un toque morisco. Esa mezcla en las fachadas de esculturas neoclásicas, y arquitectura mora es de lo más original, pintoresco y bonito. A mí, me encanta.

Aquí, una *villa* (pronunciado a lo francés «vilá») no es como en España una mansión grande y lujosa. Es una casa rodeada de un jardín. Así que *villas* hay en cantidad: ostentosas, lujosas, románticas y modestas; pero todas tienen algo en común: en sus parques, jardines o arriates encontrarás los mismos árboles y flores: daturas, naranjos, granados, jazmines, damas de noche, plumbagos, lantanas, buganvillas, hibiscos, adelfas…

Entre *villas* e inmuebles quedan los patios, habitados particularmente por los españoles, portugueses y algunos italianos. Ellos también son de buen ver, con sus paredes siempre encaladas, sus macetas y sus lindas flores. Los bellos bulevares y avenidas de mi Casablanca están bordeados de vistosos árboles: palmeras datileras altivas, falsos pimenteros olorosos, adelfas difundiendo sus fragancias turbadoras en las noches de verano, ficus siempre verdes, con sus extrañas lianas rozando el suelo.

A la vuelta de un bulevar, te sorprende y te seduce una plazuela. Siéntate en uno de sus bancos verdes y disfruta con el murmullo del chorrito de su fuente. Unos cuantos árboles, ahí plantados, te darán sombra y frescor. Para un largo paseo, ¿dónde mejor que en el parque Lyautey? Es un parque inmenso con sus jardines a la francesa, adornados de estanques, ellos también cómo no, de estilo árabe. ¡Preciosa combinación! Para descansar encontrarás bancos de mármol blanco o de hierro forjado. ¡Qué delicia, después de un caluroso día de bochorno, deambular por sus paseos o descansar bajo una adelfa e inhalar su exquisito perfume nocturno!

¿Cómo se lo pasan los casablanqueses en esta bella ciudad? ¡Muy bien! ¡Pero que muy bien! ¡Es que a los casablanqueses les gustan las diversiones un montón!

Y el Ayuntamiento muy complaciente, diversiones les da.

- Bailes públicos para el 14 de julio, el Carnaval, el 1 de mayo, etc.
- Desfiles de carrozas (corsos) floridos.
- Fuegos artificiales.
- Organización de concursos (nos chiflan los concursos).
  · Concurso del bebé más lindo.
  · Concurso de mises.
  · Concurso del camarero más rápido.
  · Concurso de la escuela más limpia y más lúcida.

Y otros muchos más.

Para el mundo escolar, después de la escuela más limpia como ya he mencionado, otras dos manifestaciones muy importantes: una *kermesse*, alegre y divertida, que se monta en el parque de los Cañones entre el Teatro Municipal y los Jardines del Tribunal. La dirección de los colegios y escuelas incita a sus alumnos a que vayan vestidos con el color que le corresponde a cada instituto. El último evento: en los últimos días de junio, los dos alumnos más sobresalientes de cada escuela, colegio o liceo tienen el grato honor de ser premiados por el gobernador en el Teatro Municipal.

En 1953, me toca a mí esta distinción. ¡Soy la primera laureada de la escuela de Anfa! Mi madre para tan especial ceremonia, me cose un precioso vestido blanco de seda fina, al estilo «maría antoñeta». ¡Un bombón de traje!

¡Mamá también va la mar de elegante! Es la mamá más guapa de todas las mamás presentes. No porque lo diga yo. Porque es la verdad. Y qué decir de Ernesto. Anda que no va poco guapo mi hermanito. Estamos los tres más tiesos que unos pinos, sentados en medio de una sala llena de jóvenes acompañados de sus padres. En el escenario están el señor gobernador, una distinguidísima señora con traje largo rojo y un pianista de chaqué amenizando la gala con melodías románticas. Ahora la señora de rojo llama por el micro: «Marguerite Ortiz, de la Escuela de Anfa».

La emoción me aplasta, no me puedo levantar y si, me levanto me caigo. Mi madre me tiene que ayudar. Con unas piernas de algodón y como en una nube, me dirijo al escenario. Para colmo de mis males, tengo que subir unas escalerillas. Ahora sí que me desplomo. ¡Uf! Ya estoy arriba. Menos mal. ¡Qué nudo tengo en la garganta! El señor gobernador me entrega un enorme libro rojo (él también), titulado *Lullí* y me pregunta: «¿Tú sabes quién era Lullí?».

¡Qué prodigio! ¡Puedo hablar! Y le contesto al señor gobernador:

—Sí, fue el músico compositor del rey Luis XIV, quien se lo llevó a Versalles para que compusiera música de ballet.

La señora de rojo, muy discretamente, me coge por el brazo y me señala las escalerillas. Menos mal, si no, todavía estoy hablando. Bueno eso de Lullí, fue suerte. Estoy estudiando violín y la historia de la música… Por lo que sea, me ha salido todo muy bien. Dejo el escenario envuelta en los aplausos del público (como a todos los galardonados a quienes se le aplauden también). Me reúno con mamá y Ernesto, más orgullosa que un pavo real. Al acabar la ceremonia, nos vamos los tres a encontrarnos con papá. Con dolor en su corazón, no ha podido asistir a tal acontecimiento.

¡Qué alegría la suya al vernos llegar tan guapos, y a mí con mi flamante libro! Todos los empleados del taller de grabado donde trabaja mi padre vienen a felicitarme. ¡Qué día tan bonito!

¡Otra vez me fui por la vía de Tarifa! Vuelvo a las distracciones de mis paisanos. Todas las comunidades, española, italiana, portuguesa, griega…, tienen sus centros culturales. En ellos se organizan reuniones, espectáculos artísticos, bailes, salidas camperas que aquí llamamos «jiras».

En Casablanca, hay bulevares cubiertos por arcadas. El más bonito en el bulevar de la *Gare* (o sea de la estación), con numerosos cafés, siempre tan llenos de gente y tan animados. Muchos de ellos tienen orquesta y a la caída de la tarde, sus músicos los animan con ritmos modernos y bailables.

Por cines, no nos podemos quejar. El Vox tiene diez pisos. También presumimos de estar en el libro *Guinness* por hallarse en Casablanca la piscina más grande del mundo: la Piscina Municipal.

Por tener, tenemos hasta una plaza de toros, construida exclusivamente de hormigón. En ella se dan representaciones musicales, deportivas y naturalmente corridas. Los más grandes toreros han pisado su ruedo: Dominguín, Peralta, los

Bienvenida, Corpas, Litri, Ortega, De Paula, El Cordobés, Miguelín y un largo etc… ¡Qué gozo para los tantísimos aficionados de la fiesta taurina!

Casablanca la bella tiene dos amantes que la abrazan cada uno por su lado.

A su derecha, el bosque, largo, frondoso, que le ofrece, todo el año el verde de sus abedules, eucaliptos, mimosas… A su izquierda un rival soberbio: el océano Atlántico, con su humor tan versátil. A veces le regala oleajes apacibles que vienen a acariciarla, otras, cuando se enfurece, la azota con sus terribles marejadas bravías, espléndidas. Los curiosos vienen a la célebre *Corniche* para contemplar los enfados del mar, levantando olas enormes, magníficas, espumosas que rompen en la arena estrepitosamente.

Sí, qué bella es Casablanca. Pero bella solamente para los privilegiados, los que la habitan. Los franceses, los europeos, algunos judíos acomodados y pocos marroquíes. Muy pocos. Otros viven en la ya mencionada antigua medina, que se ha hecho pequeña. Y para los muchísimos «otros» se ha edificado, fuera, lejos de Casablanca, otra medina, la nueva, horrible, de construcciones anárquicas, salpicadas de miserables chabolas, los tristes *bidonvilles,* o sea barrios hechos con latas de bidones. Desgraciadamente, cierto es que hay dos Casablanca.

¡Triste, triste, triste!

La no integración

Sábado noche, velada muy amena en casa de unos amigos. Charlamos de unas cosas y otras. Se pone sobre la mesa el tema de la inmigración, en España, en Francia... Con un tono de reproche se comenta:

—¡Cuánto les cuesta a los expatriados asimilar la cultura y las costumbres del país acogedor! ¡Con lo bien que están allí y con el cambiazo que han dado sus vidas! No hay nada que hacer, ellos a lo suyo.

Sin darme cuenta, me esfumo. Traspaso el tiempo. Vuelta al pasado.

Estoy en casa de los Ortiz, con Adela y Pepe. Dos expatriados también. Han llegado hace poco de La Línea, donde pasaban hambre. Como es natural, el matrimonio ha reconstruido el entorno que dejaron en su patria. Hablan español. Adela guisa lo que su madre le enseñó.

Pasan los años. ¡Qué de críos hay! Van todos a la escuela francesa. Pero aquí solo escucho hablar español. Mismos guisos.

Los abuelos han comprado una radio. ¡Qué bien! Solo cogen Radio Nacional de España. Así están mejor enterados de la situación política de allá, de las últimas coplas, zarzuelas, canciones de la Península. Y ni un solo día se pierden ni la novela, ni *Discos dedicados*. Mismos guisos. Se habla solo español.

Los abuelos van mucho al cine o al teatro. Al cine para ver películas españolas. Al teatro para ver y oír a los más grandes: Valderrama, Marchena, El Malagueño, Lola Flores, Carmen Amaya (que fue recibida en casa de una sobrina de abuela, casada con Perico *el Gitano),* Antonio y Rosario, Antonio Machín, y un largo etcétera...

Al Teatro Municipal fueron mis abuelos para todas las zarzuelas que se representaron. Y en casa se sigue hablando sólo español y comiendo los mismos platos.

Después de la Guerra Civil y de la Segunda Guerra Mundial, veo que estos Ortiz mantienen el mismo rollo. En los años cincuenta se dan corridas, en Casablanca. Los mejores matadores, vienen aquí. ¡Y ni qué decir de la afición que hay en esta casa!

El abuelo, que es peor que un patriarca bíblico, está convencido de que la educación y la moral que le inculcaron sus padres son las únicas dignas de trasmitir a los suyos. ¡Pobres suyos! ¡Con qué pasividad se sometieron a José Ortiz! Ninguno se rebeló. ¡Ni mi padre! ¿Qué sentían todos por el padre tirano? ¿Cariño? ¿Respeto? ¿Temor? ¿Temor a qué? Tal vez una mezcla de sentimientos. De su caja de principios traídos de su tierra, hay uno que se aplica a tocateja: prohibido hablar cualquier otro idioma que no sea español.

Siguen pasando los años. Puedo ver a mis tíos y a mis primos. Nos comunicamos en francés, cuando no está el abuelo; si por desgracia nos sorprende se pone como un titi: «A París, lo dejáis fuera de mi puerta». ¡El colmo! Pensando que está durmiendo el sueño de los justos, los demás deciden escuchar, en la radio, una emisión en francés. De pronto, surge el abuelo. Se ha despertado. Furioso constata que, en su casa, no se le obedece. Sin ningún miramiento apaga el aparato. ¡Se acabó la velada!

Cerca de cincuenta años, Adela ha ido, a diario, al *Marché* de la puerta Marrakech. Sólo habla en español. ¡Creo que hasta al burro que le trae las cestas, le habla en español! ¡Y el burrito la entiende! Mi abuela, ni por curiosidad, ha querido comer o guisar cocina francesa o marroquí. Mis abuelos murieron sin hablar francés, aunque lo comprendían bien. El árabe, ni lo hablaban ni lo comprendían. Vivieron más de sesenta años en Marruecos…

Un hondo suspiro se me escapa de mi pecho. Aturdida, me veo en casa de mis amigos, de nuevo. Acabé mi viaje en el pasado. Ellos siguen con lo de la no integración. No sé quién, no me acuerdo, me pregunta:

—¿Y tú, Margot, qué piensas de esto? Estás muy callada.

A lo que contesto, lacónicamente:

—No es cosa nueva.

Ni es cosa nueva, ni es cosa mala. Gracias a Adela y a Pepe, «el tirano», en mi casa hablo el español, me apasiona la copla, sigo todos los sábados, en Canal Andalucía, el programa *Se llama copla* y todas las mañanas, nada más levantarme, a las seis, lo primero que hago, es escuchar los informativos en Radio Nacional de España.

Sin comentarios.

Pero con un «gracias, abuelo, por haber insistido, a tu manera, en preservar lo tuyo, lo nuestro, lo español». Mis raíces.

Mis raíces mezcladas con otras francesa, árabe, hebrea…

Centro Español

El primer Centro Español se construyó en la Medina. No lo conocí. Pero últimamente tuve la inmensa alegría de enterarme de que un tal José Ortiz Ponce trabajó de ebanista en su construcción.

Esa información que he visto por escrito, y que me ha llenado de emoción y orgullo, la sé gracias a mi amigo Bernabé López, profesor en el Departamento de Estudios Árabes e Islámicos, en la Facultad de Filosofía y Letras de Madrid, que ha podido acceder a los Archivos Nacionales.

Muchísimos años después frecuenté el Centro del bulevar de París. Me dejó unos cuantos recuerdos. Es carnaval. Hay un baile infantil de disfraces, como todos los años en febrero. No sé por qué motivo mi madre, este año, no me ha hecho un disfraz. Me hallo en casa de mis abuelos, muy disgustada. Mi prima Juanita comparte mi enfado. Mis padres no están aquí. Llega mi tío Antonio, que quiero tanto. Nota nuestras caras enfurruñadas y nos pregunta la razón. Nos promete acabar con tan terrible drama. Nos maquilla a las dos con carbón. Viste a Juanita de mujer, a mí de hombre. Le planta un canastito de verduras, a mi prima, en su brazo. ¡Y adelante para el baile! Nos coloca en el centro de la pista. Sin cortarnos, nos ponemos a bailar la mar de felices, sin darnos cuenta de que un círculo vacío, cada vez más grande, se va formando alrededor nuestro. Los arlequines, las princesas, los marqueses, las hadas, los piratas nos huyen. Temen que los manchemos con nuestras caras y manos «encarbonadas».

Mi tío, sentado con unos amigos, se troncha de risa. Pero llega el momento en que considera que su gracia carnavalesca ha durado bastante y nos saca a Juana y a mí a tirones de la pista. ¡Hay que volver a casa! ¡Menuda bronca le echaron mis padres cuando nos vieron tan sucias! A mi madre la vergüenza se la comía. ¡Su hija tan grotesca y tan guarra! ¡Qué disgusto!

¡Mi prima y yo nos lo pasamos bomba!

El otro recuerdo que conservo es mucho más bonito. Una compañía lírica de la Península va a interpretar la zarzuela *Katiuska*, entonces prohibida por la censura, en España. Los abuelos me piden que los acompañe. Loca de alegría, asisto a mi primer espectáculo musical y sentadita al lado de mi abuela, con fascinación, me entrego totalmente al espectáculo. Recuerdo inolvidable.

Ese Centro sufrió un incendio que lo dejó completamente calcinado. Se construyó otro. Mi verdadero Centro Español. Mi segundo hogar.

Está situado en una callejuela muy cerca de la Plaza de Verdun y de la rue de l'Allier, es decir, muy próximo de mi casa y a la de los abuelos.

Nada más entrar, nos encontramos en el bar, con el ambigú a la derecha y muchas mesitas con sus sillas en el centro. Al atardecer, todas están ocupadas por personas mayores que han venido para sus partidas de damas, dominó, ajedrez… Por la noche, es el bar el que se llena de socios, para el aperitivo. Frente al ambigú se halla una escalerilla que lleva a un almacén. ¡Cuántos tesoros contiene ese almacén! Material de teatro, libros para la biblioteca, mapas de España, instrumentos de música, accesorios para los carnavales: máscaras, serpentinas, papelillos, etc. Cuando tengo el privilegio de subir a la «Cueva de Ali Baba» me quedo embobada al ver, en un recinto relativamente pequeño, tantísimas maravillas.

Retorno a la planta baja. A la izquierda de la escalerilla tenemos por fin la puerta del Centro, siempre cerrada. Se abrirá solamente para los múltiples eventos que se celebrarán en su sala.

Por magia, salto al pasado. ¡Me encuentro allí! Ahora, vacía, parece inmensa. Sus dos paredes laterales están pintadas con parejas, un hombre y una mujer, ataviados de trajes regionales, en posición de baile. Los manos iniciando jotas, los andaluces fandangos, al igual que los castizos madrileños, muy agarraditos para el chotis, etc.

¡Qué frescos tan bien hechos! Cada vez que los contemplo, un nuevo detalle me salta a la vista: los flecos del mantón de la aragonesa, el zapato rojo de la valenciana, los palillos de la sevillana con sus cintas verdes. ¡Qué minucioso fue ese pintor, anónimo para mí!

Vuelvo a la descripción de la sala. En el fondo se halla un magnífico escenario. El escenario de mi Centro Español. Escenario que le dio vida a tantísimos espectáculos que hicieron vibrar mi alma de niña y después de adolescente, con sus conciertos, danzas, canto, teatro…

El Centro ha formado un cuadro artístico compuesto por *amateurs,* la mayoría, y algunos auténticos artistas, felices de reanudar con el mundo de la farándula. Ese cuadro artístico está dirigido por un director y un subdirector elegidos por los miembros del cuadro artístico y por los del comité de fiestas (si mi memoria no me engaña).

Durante bastante tiempo, esos dos hombres fueron el señor De Pablo y… mi padre. ¡Por turno! ¡Amigos de todos los días, rivales en el teatro!

Representación teatral en el Centro Español

El Centro puede presumir de un excelente conjunto musical formado y dirigido por nuestro queridísimo maestro Beneroso que ha compuesto una orquesta completa para acompañar las galas de canto, danzas, zarzuelas. También dirige a los músicos de bandurrias.

Las veladas artísticas son de las más completas y armoniosas. Debutan con una obra de teatro, drama o comedia, seguida por un pequeño concierto y, para rematar, el anhelado «fin de fiesta», es decir, cantos, poemas, ballet clásico español.

La bonita sala se convierte también en salón de baile: para los carnavales, el 14 de abril, el primero de mayo, la elección de Miss Centro Español... Esos bailes son el disloque para la juventud y para los menos jóvenes de la colonia. Inolvidables bailes donde se reúnen las tres generaciones de la misma familia. ¡Cualquiera hace que los abuelitos se queden en casa! Aquí se ve entrar la mar de compuestos a los papás, los hijos mayores y los pequeños, con los abuelos cerrando el grupo y ¡a bailar todos! Cuando los críos tengan sueño, en un rincón de la sala, sobre unas buenas mantas puestas en el suelo, dormirán un ratito, el tiempo de recuperar energía para seguir jugando y peleando entre ellos.

Otra particularidad bonita de nuestro Centro: Todas las clases sociales se funden en perfecta armonía. O eso me parece a mí…

La familia Ortiz y el Centro

El Centro Español, lo vuelvo a repetir, fue mi segundo hogar, durante las épocas, tan importantes, de mi infancia y adolescencia. Lo que se recoge entonces deja marcas indelebles. Y cuántas marcas me ha dejado mi Centro. Pasé tanto tiempo en él...

Mi padre, de manera alternativa, es director o subdirector del cuadro artístico, con el señor De Pablo. Estos dos hombres y los actores que componen dicho cuadro son asombrosamente geniales, audaces y atrevidos. Se atreven a poner en escena sainetes, dramas, comedias y ¡hasta zar-zue-las! No se achican por nada. ¡Qué valor! Guillermo Ortiz, además de dirigir, interpreta casi siempre. Para mí y para mi familia, es el mejor de los actores, el que más nos hace reír o emocionar, y hasta llorar. Por si fuera poco, siempre interviene en el «Fin de Fiesta». Su voz dulce, melodiosa, fuerte, nos hace vibrar cantando boleros, tangos, arias... A veces son obras suyas las que se estrenan en el Centro.

Pues sí, qué le voy a hacer, no quiero ser ni presumida ni pedante, pero es que mi padre es también escritor, miembro de la Sociedad de Autores de París. «¡Casi na!» Sus escritos son múltiples: dramas sociales, políticos, comedias, sátiras, poesías, cuentos infantiles...

Querido papá... actor, escritor, cantante y... pintor. Tuvo, indiscutiblemente, todas las musas de madrinas. Fue bonito verlo delante del caballete, su camisa remangada hasta los codos, siempre rodeado de amigos, jóvenes o de su edad, poniendo punto final a esa ventana cuajada de flores de la calle la Pimienta, o rematando el techo de la pagoda china que se refleja en ese lago de agua tan cristalina que deja traslucir la sombra de dos elegantes cisnes.

Cuánto le gustó a su pequeña «corte» ese rincón del puerto pesquero de Fedala. Todos sus cuadros son regalados. Papá disfruta escribiendo, actuando, pintando, cantando y nosotros disfrutamos con su talento, su arte, su sabiduría, su carisma, su bondad...

¡Huy, otra vez me fui por los cerros de Úbeda! Lo siento, papá, te tengo que sacar de la casa, tienes que abandonar a tus amigos, dejar tus pinceles y volver al

Centro dónde estabas pintando los decorados para la próxima función, acompañado de tus hermanos y camaradas.

Ahora están todos de rodillas o sentados en el mismo decorado tendido sobre el suelo del escenario, uno acabando el largo sendero de un parque, otro poniéndole hojas a un árbol, otro esbozando las siluetas de dos enamorados. Colmena de artistas. El buen humor y alegría los animan. De pronto surge un canto, que recogen otros y forman coro.

Entre esos artistas de tan buena voluntad, se encuentran mis tíos Paco, Antonio, Jaime, que también forman parte del cuadro artístico. Jaime, además, es violinista en la orquesta del maestro Beneroso. Mi tío Ernesto da recitales, en los fines de fiesta, con su guitarra flamenca. El abuelo, él, se encarga de toda la parte de carpintería. Tanto mi familia, como los otros que colaboran en el montaje de una obra, trabajan de balde, por amor al arte.

Hay que decir que nuestro Centro anda siempre mal de dinero. A más de cuatro se les olvida pagar la cuota de socios o no la pueden pagar.

Con tantos hombres de la familia implicados en esto de los espectáculos es rarísimo que no haya un Ortiz, por lo menos uno, en el Centro. La abuela, a la hora de la cena mandará a uno o dos de sus nietos con el encargo de que se le está esperando. Pero eso sí, que ese encargo esté hecho con mucha discreción. Con tanta discreción que el mandadero, una vez llegado, se encuentra con niñas o niños, amigos, y se le olvida su cometido. Adela envía esta vez a un adulto. A ese le pasa lo mismo. Tropieza con un conocido y se dirigen hacia el ambigú para tomarse un vinito. El cuento de nunca acabar.

Es que nuestro Centro tiene miel. Y en lo que a mí se refiere, soy una de las niñas más asidua. Después de la cena, mi padre tiene obligatoriamente que irse para los ensayos. Y yo, pues lo acompaño. Lleno mi cartera de libros, cuadernos y demás cosas, lo necesario para hacer mis deberes, y allá que salimos los dos juntos. Mi padre se sube al escenario. Yo me instalo cerca, abajo, en una mesa, para mis trabajos escolares.

Entonces surge el fenómeno habitual: Me desdoblo. Una Margot, la estudiosa, se entrega totalmente a lo que hace, mientras que la otra Margot correteta entre los bastidores y se entera de los *tête à tête* entre dos enamorados, de ésta que critica a aquélla, de un besito robado, oye los comentarios emitidos por el director si una réplica no ha estado adecuadamente dicha. Y muchas otras cosas más. Hasta se sabe toda la obra a la perfección. Podría, si fuese necesario, reemplazar al apuntador. ¡Qué Margot!

Cuando acaba el ensayo, recojo mis enseres en la cartera y se la doy a mi padre. Salimos del Centro. Cogiditos del brazo, sin darnos prisa, volvemos a casa.

Comentamos los pormenores del ensayo, le cuento algunas de las cosas que he captado. Papá se ríe, diciéndome que solo tengo que hacer mis deberes… El camino se me hace corto. ¡Ya hemos llegado!

Regresos nocturnos inolvidables que me unen maravillosamente al hombre que más admiro en este mundo, al artista más perfecto, al ser más generoso, más humano, tan inteligente. Al más bueno. A mi padre.

Cachet de la Délégation :

CARTE

DE

MEMBRE ACTIF

.

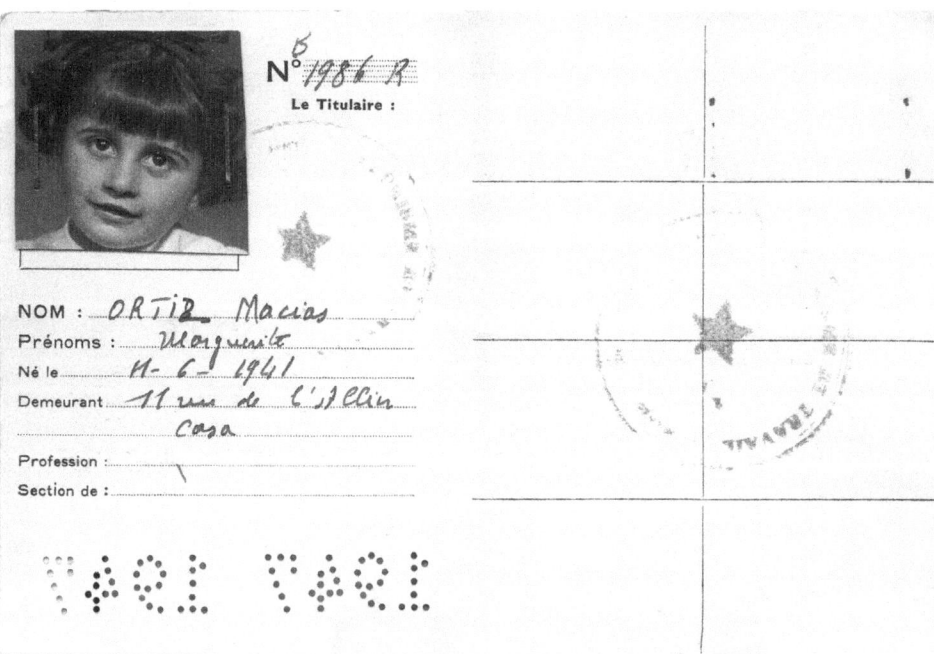

N° 1981 R
Le Titulaire :

NOM : ORTIZ Macias
Prénoms : Marguerite
Né le 11-6-1941
Demeurant 11 rue de l'Allier
Casa
Profession :
Section de :

¿Quién soy?

Nací en un hogar donde solo se hablaba, y se sigue hablando, español. El que trajeron los abuelos, de la provincia de Cádiz. Me mecieron cantándome nanas españolas. En la radio, solo se cogían emisoras españolas.

Mi padre, grabador, trabajó por su cuenta, en la casa, hasta que tuve siete años. En un banquito que me hizo mi abuelo, sentada a su lado, me pasaba horas, escuchándolo. Bebía sus palabras. Los cuentos que había inventado para mí, canciones, anécdotas de historia de España, de Francia, del mundo… Me hablaba de geografía, astronomía, literatura, poesía… Me enseñó a leer, a escribir, a contar, en español. En mi entorno, solo se hablaba español, con mi familia, en mi barrio, con nuestros amigos.

Con más de seis años, después de infinitos requisitos y múltiples intervenciones de personas influyentes, por fin, aceptan mi ingreso en una escuela francesa, la de la plaza de Verdun, la «Escuela de niñas del Centro».

No sé hablar ese idioma, extranjero para mí. Lo tendré que aprender muy pronto. ¿Podré?

Aún recuerdo mi entrada, el primer día de escuela. Mamá y yo estamos ante el portalón abierto. En el interior, niñas, muchas niñas, pequeñas, mayores, juegan, charlan, pasean, en un patio inmenso, plantado de grandes árboles. Afuera, me aferro a la mano de mi madre. No me es posible entrar allí. Mamá me suelta, me besa muy fuerte y con esa decisión firme que ella tiene, y que influye en los demás, me dice: «Margot, tienes que entrar ahora». Y entro. Por segunda vez, me han cortado el cordón umbilical. La pena me ahoga. Un nudo extraño aprieta mi garganta. ¡Qué horrible soledad me invade! El orgullo, sin embargo, se sobrepone a todos mis sentimientos. Él hace que ni una sola lágrima salga de mis ojos. Muy erguida, la cabeza alta, hago mi entrada en mi escuela.

En ese instante suena la campana anunciando el final del recreo. Las niñas con una rapidez sorprendente, se dispersan, para ir cada una a la fila que le corresponde. Aparecen entonces las maestras y se plantan, ellas también, ante la fila que forma su clase. Indecisa, no sé dónde dirigirme. Una señora viene hacia mí. Qué alegría. Me habla en español.

–Soy tu maestra. Me llamo Mme. Gomel y te esperaba. Es la primera y la última vez que te hablo en español, Marguerite.

Ese «Marguerite» en francés me ha gustado. Suena muy bien. Después me enteré de que Mme. Gomel era francesa de Argelia, y que en su casa hablaban español. Por cierto, el francés lo aprendí muy pronto, lo bastante para comunicarme con los otros.

Qué facilidad tienen los niños para aprender idiomas. Lástima no haberme enseñado el árabe al mismo tiempo.

Pero sí me enseñan que nosotros los «franceses» descendemos de los galos, que fuimos invadidos por los romanos. Aprendo la geografía de «nuestra patria», el nombre de todos sus ríos, sus montañas... Por cierto, en Francia está la cumbre más alta de Europa, el Mont Blanc, en los Alpes, 4810 m.

Francia, desde luego, ¡es sobresaliente en tantas cosas!

Gracias a Bernard Palissy se supo hacer el esmalte (conocido ya en Italia). Comemos patatas gracias al señor Parmentier. Si no es por él, nos comeríamos los huevos fritos sin sus patatas. ¡Qué horror! Y como éstos dos, tantos y tantos genios franceses.

En las numerosas guerras que tuvo que afrontar «nuestra patria» casi siempre salió victoriosa. Esas malditas guerras que dejaban el país arruinado y al pobre campesino muerto de hambre, las provocaba, casi siempre, ¡España! Menos mal que los valerosos soldados franceses triunfaban siempre e infligían temibles derrotas a sus enemigos seculares. Qué horribles fueron Carlos V y su malvado hijo Felipe II. Nuestro pobre rey Francisco I, fue su prisionero. Dicen que todas las francesas, nobles, burguesas o humildes campesinas lo lloraron al saberlo encerrado. Era tan guapo... (lo del guapo lo sabían por los trovadores que recorrían el país de Norte a Sur y de Este a Oeste). Y las damitas a sollozar más fuerte cuando tuvo que casarse con Eleonor de Hamburgo, vieja, fea y viuda. Y por si fuera poco tuvo que dejar a sus dos hijos, al delfín Enrique y a su hermano Carlos en un calabozo español. Y aquí no acaba la historia.

El pueblo de Francia, conmovido, se prestó a pagar el enorme rescate impuesto por España. Durante los larguísimos trámites de rescate, boda, tratados, etc., los dos bellos principitos estaban tirados en una celda sombría y fría. Así se veían en mi libro de historia.

Cuando la maestra relata uno de estos hechos, no sé por qué me siento aludida y a veces creo sentir las miradas de las otras alumnas, no españolas, fijas en mí, culpabilizándome por lo mal que se habían comportado «dos míos», los españoles.

A pesar de mi culpabilidad, la clase de Historia siempre me apasionaba. Masoquista sin saberlo, quiero saber más y más cosas ocurridas entre estos dos países.

Margarita (fila de enmedio, quinta por la derecha) en su primer año de escuela

Una mezcla de emoción me embarga: curiosidad, vergüenza, orgullo… ¡Qué sé yo! Y la maestra sigue… El intrépido caballero Bayard combatió sólo en el puente Garigliano contra doscientos españoles a los que venció. ¡Y no era nadie Duguesclin! Como que el rey de Francia Carlos V (qué lío con tantos Carlos y Franciscos españoles y franceses) lo nombró condestable.

No supe nunca el significado de esta palabra: «Condestable», pero suponía que sería algo muy importante. ¡Condestable de Francia!

Después llega el tema de Napoleón. ¿Cómo pudieron los españoles luchar contra las tropas del Emperador que llevaba en sus banderas la divisa «Libertad, Fraternidad, Igualdad»?

Una vez en casa, relato estos temas a mi padre y a sus amigos.

Papá se calla. No quiere quitarle importancia a lo que me enseñan en la escuela. Esto naturalmente lo supe mucho más tarde.

Los compañeros suyos, con menos escrúpulos, me relatan los hechos históricos de manera diferente. España también tuvo horas de gloria y valerosos guerreros. Napoleón fue un invasor casi hitleriano, que traicionó a la República

79

Francesa; España y su indomable nación frenaron, por primera vez, a los insaciables invasores. Desde entonces, el Águila Imperial perdió sus primeras plumas.

¡Qué victoria tan grande la de Bailén! Las tropas del general Castaños vencieron a las de Dupont, lo que obligó a José Bonaparte a largarse de Madrid. ¡Anda que Francisco I no era mujeriego! Arruinó a su país colmando los caprichos de sus favoritas. Y menudos caprichitos: palacios al borde del Loira… Cuando los antifranceses se van, mi padre aplaca mi exaltación patriótica y me aconseja que no replique a mi maestra en sus clases. Y una y otra vez me repite que los libros de Historia son los manuales más retocados: a cada cambio de régimen, según las relaciones entre los países…

Estas palabras de mi padre fueron las mejores clases de Historia de mi infancia. Comprendí que los maestros no mienten. Tienen que atenerse a las consignas que les imponen los ministros de Educación vigentes.

Otras clases, en la escuela, me apasionan, sin alterar mi ego patriótico: la Gramática, la Literatura, la Poesía, la Iniciación a la Filosofía y Pensamiento Francés. La heroica Revolución de 1789 me exalta. Ha transformado el mundo infundiendo sus ideas, su libertad, igualdad.

Tal vez mi maestra tenga razón: nosotros, los franceses, descendientes de los galos, pertenecemos a una bella y brava nación.

Durante todos estos años me siento mitad española, mitad francesa. Y sin embargo…

Sin embargo, en el fondo de mi alma siento un extraño sentimiento. Una atracción cada día más fuerte, irresistible, hacia otra cultura, otro país. Marruecos.

Tengo una nueva amiga. Se llama Rkia. Su madre es portera de un hermoso inmueble de la plaza de Verdun, muy cerca de la casa de los abuelos. Su padre tiene un puesto de patatas en el *marché* [2] de la Puerta de Marrakech. Cuando voy a casa de Rkia, un mundo nuevo y desconocido me acoge. Descubro olores y sabores insólitos. Este hogar huele a pan casero caliente, a *tayin* [3] perfumado con culantro (cilantro) y a té con hierbabuena.

Está amueblada de manera distinta a nuestras casas. No hay sillas, pero sí muchas banquetas puestas en el suelo cubierto de esteras, mesas redondas y bajas, ventanas altas y estrechas. Al entrar en su cuarto, debemos quitarnos los zapatos.

Cuando la madre de Rkia me invita a almorzar, comemos todos en un plato único, sin tenedor, cogiendo la comida con el pan y tres dedos. Qué bueno está todo lo que se come en esta casa. Delicioso. Me parece que estoy prefiriendo los

[2] Mercado.
[3] Guiso.

guisos de la madre de mi amiga a los de mi casa o los de abuela Adela. Esto me lo callo para no ofender a nadie. A veces Rkia y yo oímos música y canto que me gusta también mucho. Tienen algo de nuestro flamenco. Todo lo que me rodea aquí no es ni francés ni español. Esto es Marruecos. Y este Marruecos me fascina, me llega hondo.

Años más tarde, otra amiga marroquí, Khadija, me llevará a su casa, más bien a su villa en el bulevar de Anfa. Qué jardín tan bonito el suyo. El murmullo de una fuente de mosaico alegra los jazmines, damas de noche, granados, naranjos… Una soberbia entrada, de suelo de mármol blanco, da acceso a múltiples salones. Las puertas esculpidas, de cedro, difunden el aroma dulzón y a la vez áspero, tan peculiar, de esta madera.

Es la primera vez que entro en una casa tan lujosa. Las cocinas están en el primer piso. De allí llegan los mismos apetitosos olores, que tanto me gustan, como los de la casa de Rkia. Almorzamos siempre en un pequeño salón, sentadas en banquetas tapizadas de damasco. Los suelos no están cubiertos de esteras, sino con alfombras preciosas. También aquí se dejan los zapatos fuera de la sala. En la mesa redonda está puesto el plato para todos los comensales. Tampoco se utilizan tenedores. ¡Qué suculentos están todos los manjares!

Khadija, con infinita paciencia, me ha enseñado a cantar una canción en árabe. Me ha traducido antes la letra. Es la primera canción que aprendo en esa lengua. Tengo por entonces ya once años.

En uno de los lujosos salones, sobre una mesita de marquetería, reina la foto del sultán Mohamed Ben Yussef, exiliado en Madagascar. Estamos, por entonces, en plena lucha por la independencia. Khadija cada vez que pasa ante la foto, se arrodilla y la besa ¡Qué hombre más apuesto! Su mirada está llena de dignidad y bondad. Mi amiga me dice que su padre fue consejero en el gabinete del sultán antes de su exilio. Me cuenta cosas, que todo el pueblo marroquí llora la ausencia del monarca y lucha por la independencia del país, que pondrá fin al Protectorado francés.

Yo, todo eso lo sé. Mi padre nos habla, en casa, de la situación política que vive Marruecos. A media voz.

La independencia es verdad que es deseada por los marroquíes, pero también por algunos europeos como mi padre. Sí, mi padre tiene que saber mucho de este movimiento clandestino que pondrá fin a la tutela arcaica que oprime a mi país. ¿Mi país? ¡Sí, mi país!

Marruecos es también mi patria. Soy una niña muy privilegiada. Pertenezco a tres bellas naciones. Amo sus tres culturas, sus tres historias, sus tres pasados. Vivo, en estos momentos, sus tres presentes donde se preparan, febrilmente, sus tres futuros.

Photo Flandrin.

12. CASABLANCA. — Un coin de la piscine municipale.

VACACIONES EN LA PLAYA

1949.

Por primera vez, papá, obrero por entonces, tiene derecho a dos semanas de permiso de descanso laboral, pagado. Los primeros *congés payés.*[4]

Con qué ilusión mi padre prepara y organiza lo que serán nuestras primeras vacaciones. Nos vamos a ir los cuatro al borde del mar.

En cuanto se enteran de nuestro proyecto, piden unirse a nosotros mi tío Paco y un amigo de siempre, Antonio Tinoco, los dos solteros. Mamá ha hecho, de tela de lona rayada, una bonita tienda de campaña. Papá se ha ocupado del armazón.

El día de la partida, otro buen amigo nuestro, el servicial Pepe Bárbara, uno de los pocos de nuestros conocidos que tiene un coche, se ofrece muy gentilmente a llevar hasta la playa del puerto de Fedala todos nuestros enseres. En la mismita arena deja lo indispensable para pasar estas dos semanas tan soñadas: colchones, mantas, sábanas, ropa, baños, cubos, vajilla, alimentación y otras cosas más. Se necesita tanto para tantos días. ¡Quince!

Nada más irse Pepe Bárbara, los tres hombres se ocupan de montar la caseta, bajo un sol plomizo. Mi hermanito y yo, locos de alegría, tratamos de ayudar en lo que podemos. Nuestro contento está enturbiado por mamá. Ella, siempre tan dispuesta y valiente, está la mar de mala. El viaje, como siempre, le ha causado una horrible jaqueca. Colocado el primer colchón, se acuesta, por fin, a la sombra. Los hombres, con sumo cuidado, lo entran todo, tratando de no molestarla.

Por fin, Ernesto y yo nos podemos bañar. ¡Qué playa tan bonita! ¡Qué placer zambullirse una y otra vez en las olas!

¿Existen en el mundo dos niños más felices que nosotros? ¡Qué va! Y llega el atardecer. Por primera vez Ernesto y yo asistimos a la caída del sol. Impresionados, embobados, vemos el astro enorme, naranja, descender de un cielo rosado para entrar muy lentamente en la mar. Fascinados, inmóviles, sentados en la arena, seguimos contemplando la aureola dejada por el sol en el horizonte.

Cae la noche. Papá enciende una lámpara de carburo. Mamá, un poquito mejor,

---

[4] Vacaciones pagadas.

ha puesto la mesa. Alumbrados por la exótica luz, nuestra frugal cena nos sabe a delicia. Delicia también es cenar al borde del mar, en la misma arena, alumbrados por el extraño faro del puerto. Ahora a dormir, la cabeza llena de proyectos, de miles de ellos.

Las primeras luces del alba nos despiertan. Ernesto y yo, en pijama, salimos fuera. La mar ha subido, ha llegado cerca, muy cerca de nosotros. La playa, solitaria, casi nos pertenece. La compartimos con una colonia de gaviotas que acaban de llegar. Mi hermano y yo jugamos a Robinson Crusoe. Naturalmente yo soy Robinson. Ernestito es Viernes. Empezamos por una atrevida excursión en el espigón del puerto, donde multitud de cangrejos pasean, sin inmutarse por nuestra presencia. La exploración cumplida, nos chapuzamos, incansables, en las olas esmeraldas, bordeadas de espuma blanca, inmaculada. Nos secamos después con los primeros rayos de sol naciente, buscando conchas raras de nácar que ofreceremos a mamá. Mírala, ahí está, haciéndonos señas con la mano. Ha preparado el desayuno y nos está esperando.

¡Qué bonita es la vida! ¡Qué vacaciones nos esperan! ¡Qué felices somos!

Papá, tito Paco y Antonio se van a pescar en una barca alquilada en el puerto, para todo el día. Mamá se pone a arreglar lo suyo y nosotros dos, a lo nuestro: a disfrutar.

A disfrutar hasta la llegada de dos soldados de caballería. Llevan el uniforme de la Gendarmería. Se dirigen hacia nuestra caseta. Están hablándole a mamá. Ernesto y yo, corriendo, vamos hacia ellos. ¿Qué querrán?

Le piden a mamá el papel necesario para acampar, que obligatoriamente se tiene que solicitar en el Ayuntamiento pero que, desgraciadamente, papá que tanto sabe, esto tan importante, no lo sabía. La sentencia es tremenda. ¡Tenemos que marcharnos!

Es tanta la pena nuestra que, conmovidos, los gendarmes permiten que permanezcamos hasta la llegada de papá. Pero, es imposible acampar otra noche aquí. Se marchan en sus caballos, dejándonos, a los tres, desamparados, abatidos.

Menos mal que la providencia nos manda ayuda. Llega tito Jaime.

Abuela Adela, no muy tranquila de sabernos tan distantes de Casablanca (a treinta kilómetros de Casablanca, que lejísimos) le ha pedido a su hijo, que hoy no trabaja, que coja el autocar y venga a saber de nosotros. De nosotros que estamos viviendo una pesadilla.

Entre él y mamá embalan todo, vacían la caseta. Luego tito Jaime va en busca de un carretero con un carro tirado por un mulo. El hombre ayuda, por cierto, a cargarlo todo en su carro. A esperar la llegada de los pescadores.

Mamá trata de consolarnos a Ernesto y a mí, sin conseguirlo. ¡Qué pena la nuestra! Tener que volver a la rue de l'Allier. Dejar nuestra playa, nuestras gaviotas, no dormir en nuestra caseta cubierta de estrellas.

Al fin, regresan los hombres. Petrificados, se paran ante el cuadro que forman los tres adultos, los dos niños y el mulo, con el carro repleto. Enterados del asunto, papá y tito Paco salen como flechas hacia la Gendarmería de Fedala. Ni se han cambiado de ropa.

Horas más tarde, los vemos llegar, radiantes. Papá trae un papel en la mano. Sí, ha conseguido la indispensable autorización para acampar. Pero, claro tiene que haber un pero, tenemos que dejar nuestro bonito puertecito e irnos dos kilómetros más lejos. Bueno, ¿qué son dos kilómetros? Nada.

Papá triunfó. Le ha ganado a los gendarmes. Ernesto y yo nos lo comemos a besos. Es y será siempre nuestro héroe.

Hale, a cambiar de sitio. Lo que papá no ha dicho ni a Ernesto ni a mí es que podemos acampar en el camping de los *cheminots,* si ellos nos lo permiten…

Mamá, cansada, sube al lado del carretero, en el pescante. Los demás, a pie, nos dirigimos a dicho camping, que linda con la mar. Hemos llegado.

Los *cheminots* son los empleados del ferrocarril de Marruecos. Todos franceses. Disponen de un campamento, en una cala preciosa, llamada la Playa de los *Cheminots*. Por turno, el que lo solicite, puede pasar dos semanas en dicho campamento. Dispondrá de una gran caseta, tipo militar, para él y su familia. Hay en total como unas cincuenta. En lo alto de la cala, en el claro de un pinar, están los servicios, retretes, duchas y hasta lavaderos. El superlujo.

Nuestra llegada no pasa desapercibida. Enseguida nos vemos rodeados de curiosos. Papá pregunta por el responsable. Aquí lo tenemos. Muy atento, este señor lee el papel que le enseña Guillermo, sellado por el Ayuntamiento.

Mi hermano y yo, angustiados, no dejamos de mirarlo. Este señor francés, tan poderoso, ¿nos dará cobijo en este lugar o nos negará la hospitalidad?

No lo creo. Papá y él se estrechan las manos. Un saludo muy cordial. Papá es presentado a los demás y su caso expuesto. Enseguida unos cuantos nos ayudan a instalarnos. Se nos dice que podremos utilizar los servicios y los lavaderos. Cosas muy apreciadas por mamá.

Después papá nos contará que el responsable se llama Gómez. Sus abuelos, murcianos, emigraron como los nuestros. Pero ellos se fueron para Argelia. Sus hijos nacieron franceses. Cuando tuvo que hacer la mili, a M. Gómez lo mandaron a Marruecos. Aquí encontró novia, se casó y entró en los ferrocarriles. ¡Ingeniosa idea! Por ser el responsable de este campamento, hoy estamos nosotros con ellos. A lo mejor un M. Dupont o M. Durand, francés de pura cepa, no nos lo hubiera permitido. ¡Qué horror tal eventualidad!

Al otro día, muy temprano, Viernes y Robinson se salen de la caseta, pensando encontrar únicamente a sus amigas las gaviotas.

Qué va. Una caterva de niños ha invadido la playa. Habrá que cohabitar, qué remedio nos queda. La decepción dura poco. En corto tiempo somos todos amigos. Amigos para catorce días. Catorce días también de pesca para nuestros tres hombres. Pescan de madrugada, al mediodía, o al atardecer, según la marea. Lo cierto es que sus llegadas son expectantes. Pescas increíbles las de entonces.

Estos *cheminots* no han visto nunca capturas tan abundantes. La mayoría de ellos vienen de Mekinez, Fez, Marrakech u otros lugares donde no hay mar, solo lagos o ríos. ¡Qué follón, qué jolgorio se forma nada más venir los pescadores! Están ya preparados los baños y cubos para echar los peces plateados, coleando. Se les aplaude, se les vitorea, se les canta a los campeones.

Mamá se queda con unas cuantas piezas y el resto se lo da a lo demás, a nuestros amigos *cheminots*.

Estos tienen también preparado el aperitivo. Los aperitivos más bien diría yo que dejan a los tres gloriosos la mar de alegres. Una buena siesta después de la comida disipará las brumas del alcohol. Frescos y la mar de contentos acabarán la tarde con nosotros en la playa.

Llega el crepúsculo. Después de la ducha, mamá nos viste a Ernesto y a mí con uno de esos conjuntos playeros que ha estado cosiendo estos últimos meses. Nos ha tricotado hasta los bañadores, que no veas lo que pican, mojados, cuando salimos del agua. Maravillosa mamá, modista y costurera. Se pasará estas dos semanas guisando, lavando, cosiendo, tricotando, leyendo, esperando el regreso de papá que la acompañará para bañarse en la playa. Y lo que disfruta ella con esos baños.

Mamá es muy reservada. De nosotros seis, es la única que está casi siempre sola. No se ha mezclado con la gente del campamento.

Volvamos al crepúsculo. Mi hermano y yo, ahora de pan pringado, nos acaparamos, al instante, de papá. Nos va a pertenecer por mucho rato. Nos sentamos, los tres, por ahora, frente al mar, sobre la arena aún tibia. Vamos a saborear y deleitarnos con su persona. El instante mágico cuando el astro rey se hunde en el océano, tiñendo de púrpura el horizonte, es y será siempre, para nosotros los de la ciudad, un espectáculo prodigioso que nos fascinará con intensidad total. La noche cae muy despacito. Sale primero la luna, luna lunera, como dice la copla con su carita «empolvá». Después las estrellas aparecen una a una, hasta formar un manto misterioso que nos envuelve dulcemente. Entonces papá saca de su alma, de su cabeza, de su corazón, uno de esos cuentos fabulosos narrados como solo él sabe narrar. Atrapados por sus labios, sus ojos, sus manos, estamos, extasiados, mi hermano y yo. No sé si Ernesto, aún tan pequeño, lo comprende todo. Qué importa. El poder del verbo lo cautiva totalmente. La voz dulce de papá seduce igualmente a todos los que se han agregado a nuestro trío, niños, hombres, mujeres. Ninguno ha escuchado esos cuentos, no sé si inventados por Guillermo o transmitidos desde su infancia. No los he escuchado por nadie en la familia. Nadie ha contado *El Castillo de irás y no volverás; El Pájaro Misterioso;* el de los tres perros *Collar de Oro, Collar de Plata, Zancarrón,* que me matan; *La Flor de la Lila* y muchos otros más.

Por esa época, recuerdo que los cuentos, en particular si los contaba papá, gustaban a mayores y niños que no se cansaban de oírlos una y otra vez. Me acuerdo cómo una tía, un primo, un vecino, en una reunión, le pedían a mi padre:

—Guillermo, cuéntanos uno de esos cuentos que tú conoces.

Entonces se formaba un grupo y en un silencio absoluto, la magia se repetía: todos estaban subyugados por papá.

Cuando se acaba el momento «cuentos», papá inicia uno de sus cursos de astronomía. Nos enseña una estrella, nos dice su nombre y cómo reconocerla entre las miles que hay en el cielo. Camino de nuestra caseta, se pueden oír nuestras voces, cantando esas canciones tan bonitas que él también nos ha enseñado, y que sólo sabe él, como *Las campanitas, Al pasar por Sevilla*…

A nuestro regreso, se une a nosotros la luz del faro del puertecito. Nos lanza sus rayos amarillentos, intermitentes, alumbrando la arena, ahora fría, de la Playa de los *Cheminots.* En el umbral de nuestra tienda de campaña, la lámpara de carburo ilumina la cabeza de mamá, esperándonos, oyendo nuestro canto, sobresaliendo la voz cálida y vibrante de mi padre.

«El hombre de la arena» ha tenido que venir, invisible, como todas las noches y nos ha echado arenilla en los ojos de mi hermano y en los míos. Medio dormidos, llegamos con más ganas de acostarnos que de cenar. Pero cualquiera se acuesta sin cenar. Buena es mamá. Por fin, en la cama. Un desfile de imágenes pone cierre a este día tan bonito: desde nuestro despertar hasta este instante, todo ha sido extraordinario. Qué bien nos lo pasamos aquí.

Ya al borde del sueño, vemos cómo papá y mamá, enlazados, salen fuera. Se pasearán en la orilla del mar, descalzos, los dos solos, enamorados. La luna, las estrellas, el faro acompañarán, ahora, a la bonita pareja formada por estos dos seres tan maravillosos, papá y mamá. Mamá tan abnegada, tan nuestra. Papá tan dulce, tan inteligente, tan pedagogo, tan humano, tan bueno… Gracias, mamá. Gracias, papá.

Otras vacaciones

Esas vacaciones en la Playa de los *Cheminots* fueron el preludio de otras muchas más.

Durante nuestra estancia, la familia, por oleadas, viene a pasar el día con nosotros. Se marcha al anochecer, con pena. ¡Qué bien que se está aquí! ¡Qué sueño! ¡Dormir mecido por el murmullo de las olas! Todos tienen ganas de pasar quince días, al borde del mar, pero juntos, con mi padre al frente. Nada más empezar la primavera, movilización general bajo el mando del capitán Guillermo y de su teniente Paco Cantero, mi tío. El primer requisito: la indispensable autorización para que una tribu de más de treinta personas puedan acampar, a la orilla del mar. Claro está que no podrá ser en la Playa de los *Cheminots*. Pero sí en otra igual de bonita, al norte o a sur de Fedala como Manezman, el pequeño Zenata, el gran Zenata, Pont Blondin, etc., etc.

Se alquila una tienda de campaña tipo militar, enorme, para dormir todos juntos, otra más pequeña para los cacharros y la alimentación. De eso se ocupa personalmente el teniente Paco, que meses antes pone en salmuera sardinas y arenques, en vinagre pimientos y variantes, y prepara múltiples exquisiteces. Nosotros los niños, la mar de caldeados, estamos al tanto del más mínimo detalle ligado a la futura expedición. Algunos amigos, jóvenes, de mis tíos solteros suplican al capitán que los incorpore a filas. Incorporación permitida. A principios de agosto, se pone en marcha la tropa para esas dos semanas que se harán cortísimas, llenas de peripecias, de entrañables recuerdos, en la orilla de una playa. Vacaciones inolvidables, que se repetirán ocho veranos. De esas vacaciones podría contar, contar y, contar… Para llenar otro libro.

Un guiño a la familia Macías

Mi niña, Sylvia, es directora de un centro de oncología, aquí en Casablanca. Trabajo durísimo que ella asume con abnegación, tesón, profesionalidad y derroche de dulzura.

Hace poco se presentan en el centro un matrimonio, dos ancianitos la mar de asustados e impresionados por encontrarse en una clínica con esa especialidad. Se han enterado de que la directora es española y preguntan por ella. Una secretaria avisa a mi hija: una pareja de dos viejecitos españoles quiere verla. Naturalmente, Sylvia acepta gustosa. Se les comunica a estas personas que Mme. Pinault los espera en su despacho. Disgustados, se dirigen hacia esa francesa. «No es la española que queríamos ver. Esta Mme. Pinault es otra, una francesa», se dicen los dos. Mme. Pinault los saluda en español.

«Uf ¡qué alivio! Es la nuestra», comenta el matrimonio. Se les cambia la cara. Los tres se ponen a charlar como buenos amigos. El matrimonio llegó a Casablanca antes de la guerra. Sylvia les dice que su apellido de soltera es Moreno. Su padre, Antonio Moreno, tiene un taller de mecánica.

—No, pues no lo conocemos.

—¿A lo mejor entonces habéis conocido a la familia de mi madre, los Ortiz?

—Ortiz, el abuelo José Ortiz. ¡Esa familia tan numerosa de la plaza de Verdun! ¡Hombre, quién no ha conocido al abuelo Ortiz! ¡Qué hombre y qué hijos! ¡Todos tan buenos!

A la señora se le ha quitado parte de su angustia. Qué suerte, en la desgracia, que su marido haya caído en tan buenas manos. ¡Una biznieta de José Ortiz, no veas, vaya casualidad! El señor, en igual disposición que su mujer, decide empezar el tratamiento, lo antes posible y con una moral tremenda. Cosas de la vida…

Una vez en casa, Sylvia, enternecida, cuenta lo sucedido. Cara trompo de mi madre y de Antonio. Están hartos una y otra vez de ser catalogados, identificados, incluidos, como pertenecientes a la familia Ortiz.

Mi madre es mujer de un Ortiz. Antonio es marido de una Ortiz. ¡Qué le vamos a hacer si la colonia no conoce ni a los Macías ni a los Moreno! En particular los ancianos de Casablanca. Lo mismo le ha pasado a todos esos que se han casado con una hija, un hijo, una nieta, un nieto Ortiz. Perdieron sus apellidos. Y sin embargo tanto los Moreno como los Macías conocieron los mismos avatares, a principios de siglo, que los Ortiz. También ellos huyeron de la miseria de la Península para tratar de vivir mejor en Marruecos. Sufrieron las mismas odiseas que mis abuelos. Por supuesto, que esas odiseas las conozco, mi madre me las ha relatado una y otra vez, al igual que mi marido las suyas.

Pero por haberme criado en el seno de la familia Ortiz, haber compartido tanto con ellos, me siento Ortiz por los cuatros costados. No lo puedo remediar. Además, desgraciadamente no he tenido la alegría de conocer ni a la familia de mamá, ni a los abuelos de Antonio.

Pero debo de contar el drama de los Macías Chacón, mis abuelos maternos. Luis Macías es hombre alto, corpulento, guapetón, con largos bigotes que caen hacia abajo. Nació en Los Barrios, provincia de Cádiz. Él también quiso probar suerte yéndose a Marruecos. Soltero y sin compromiso, se marcha para Tánger, ciudad por entonces cosmopolita pero de habla española, por estar al otro lado del Estrecho. Trabaja como operador de cine, mudo en aquel tiempo. Mi abuela, Ana Chacón, es de La Línea de la Concepción. Como veréis mis abuelos maternos y paternos son gaditanos y las dos mujeres de La Línea. «¡Casi na!» Con razón soy tan coplera. Dicen las encuestas de hoy en día que es La Línea la ciudad donde más afición hay por la copla.

¡Me enrollo otra vez! Vuelvo a Ana Chacón. Menudita, bien plantada, una cara la mar de bonita con dos luceros por ojos y unos dientes de marfil que le hubiesen dado ganas a Juanito Valderrama de hacer un rosario con ellos. ¡Cómo no enamorar a Luis, nada más conocerla! A ella también le gusta este hombre tan apuesto, aunque le lleve trece años. Ana trabaja en el Monopolio de Tabaco de Tánger. Es cigarrera y canta como un jilguero. Tiene casi todos los componentes de la Carmen de Merimé, salvo que nuestra cigarrera está solamente seducida por el operador de cine gaditano. Los dos enamorados se casan y dejan Tánger por Ceuta. Allí nace Paquita, rubia como los trigales en junio. Años más tarde, se marchan para Tetuán. ¡Estos Macías Chacón tienen culo de mal asiento!

Ana tiene cinco hijas, cuatro de pelo rubio, cobrizo, castaño claro y solo una de cabello negro, pero de tez tan clara como la de sus hermanas. Esta «morena clara» es Esperanza. En fotos de ella, de su niñez y adolescencia se la ve con esa clase, empaque, garbo y, solera que tuvo y sigue teniendo a sus ochenta y cuatro años. En Tetuán, Luis trabaja de lo suyo, en el único cine teatro de la ciudad. Gana lo suficiente para llevar su casa adelante, para que Ana se dedique a sus labores y que sus hijas vayan a un buen colegio. Viven, en un patio que comparten con más vecinos, en una vivienda cómoda y espaciosa. A Ana le encanta coser y bordar, cosas que hace con primor. No le gusta salir de casa para nada. Es Luis quien se ocupa de las compras, de sacar a pasear a las niñas, de llevarlas al cine o al teatro, a la playa del Río Martín al inicio del verano. Cogen el tren por la mañana, se bañan y regresan por la tarde a casa. Luis es un precursor de la talasoterapia. Intuye que los baños de mar son excelentes para la salud y la salud es tema que tiene mucha importancia para el matrimonio. Herencia trasmitida a mi madre, por cierto.

La felicidad y la paz reinan en el hogar. La vida sigue su curso tranquilo. Los padres hacen proyectos para el futuro: Paquita, joven, tan bonita, seguro que pronto la rondaran unos cuantos. Habrá noviazgo, boda, nietos…

Desgraciadamente una sombra negra, malvada, llena de desdichas, asedia la familia. Empieza de manera anodina. Un joven se presenta un mal día en el cine. Le gustaría aprender el oficio de operador. El dueño no tiene inconveniente, Luis tampoco. O Luis es excelente maestro o el joven demasiado listo. Cuando sabe o cree saber bastante, el chico va a ver al dueño del cine y le propone hacer lo que está haciendo Luis por mucho menos sueldo. El amo del cine-teatro acepta, encantado. El joven hará el trabajo de Luis, quien es despedido. Sin indemnización ninguna. Sin oportunidad de encontrar labor en otro cine. ¡No lo hay!

Las restricciones empiezan en el hogar. Los pequeños ahorros se funden como nieve al sol. El miedo a la miseria, que llama ya a la puerta, invade a la familia. Ana desesperada, pero tan firme, ella que no sabe pedir, no tiene más remedio que escribir a su hermana María, que vive en Casablanca, solicitando ayuda. María acepta que su hermana con su marido e hijas se vengan a su casa. Ella está casada con un buen hombre, francés, de origen español, Blas Comas, y tiene cinco hijos.

Un funesto día del año 1931, llega la familia Macías Chacón a casa de M. y Mme. Comas.

*   *   *

María Macías está casada con Blas Comas, hombre bueno y cariñoso, pero desgraciadamente de poco carácter y con una pasión inmoderada por el vino. ¿Siempre bebió o fue cuando se casó con María? No se sabe. Es que María es mucha María. El negativo de Ana. Vulgar, mala lengua, chismosa, histérica, prefiere la calle a sus quehaceres domésticos…

Los Macías, nada más llegar a tal hogar, asustados, asombrados, avergonzados, tratan de hacerse lo más discretos posible. La cohabitación es difícil. ¡Y vaya hijos que tienen M. y Mme. Comas! ¡De tal palo tal astilla! Las hijas de Ana y Luis no han visto gente igual. ¿Cómo mamá ha podido pedir ayuda a una hermana como ésta? ¿Está Ana segura de que María es hermana suya? Luis, desesperado, culpabiliza. Es el causante de esta tremenda situación, tendría que haber tratado de encontrar un trabajo, de lo que hubiera sido. ¿Cómo ha podido venirse a Casablanca, de habla francesa, idioma que desconoce totalmente? No ha sido lo bastante hombre para sacar su casa adelante. Ha fallado como marido y como padre. Sus hijas, las cuatro (una murió años antes) ¡qué desdichadas son, con lo felices que eran en Tetuán! Todos estos reproches que se hace este hombre bueno pueden con su salud. El hombretón fuerte y sereno tiene malo el corazón. Varios ataques le avisan de que está muy enfermo. Impotente, espera la muerte. No hay ni dinero para consultar médico.

Una noche de Navidad, Luis muere. ¡Qué pena, qué dolor tienen Ana y sus hijas! ¡Qué buen marido y qué padre tan cariñoso las ha dejado! Destrozadas, piensan que han alcanzado el fondo del pozo negro de la desgracia. ¡Qué va! El fondo está aún muy lejos. Ana, hace meses, notó que se le formaba un bulto en un pecho. No se lo dijo a su marido, ya enfermo, ni a María, temiendo que todo el barrio se enterase enseguida. Tampoco se lo dijo a Paca, la mayor de sus hijas. Esta, tan bonita, tiene novio, educado, trabajador. Es impresor. Su familia aprecia a Paca, pero no a su parentela. ¡Con qué gente más ordinaria vive esa muchacha!

Ana teme que se sepa que ella tiene algo malo. Podría Manolo dejar a su hija. Ana calla. Ahora trabaja en casa de Antonia, la costurera. Extraordinaria mujer esta Antonia, generosa, bondadosa madre abnegada de siete hijos que ella, sola, cría. Su marido no trabaja.

Extraordinarios también los lazos que nos han unido y nos unen a la familia de Antonia y a la mía, hasta el día de hoy. Más, ésta es otra historia.

Volvamos a Antonia y a Ana. Sentadas sobre taburetes, cosen. Aparece súbitamente el marido de Antonia. Necesita dinero, pronto, ahora mismo. Ahora mismo, Antonia no tiene ni un franco. Sus últimas clientas se han llevado los vestidos bonitos acabados, los han lucido, pero no los han pagado y a Antonia no le gusta pedir, ni lo que le pertenece. Ella es de las que dan, aunque poco tenga. Para calmar a su marido le promete mandar a una de sus hijas a casa de esas mujeres que le deben su trabajo. Alguna pagará. Este argumento no convence al hombre. No puede esperar, grita, chilla, amenaza. Empieza una pelea que va *in crescendo*. Enfurecido, él coge un costurero que tiene cerca y lo lanza con violencia contra una pared. Ana, que ha asistido, impotente y silenciosa, inquieta al principio, ahora asustada, se levanta para tratar de calmar a este hombre o para huir, no sé. Desgraciadamente, al ponerse de pie, recibe brutalmente la caja en su pecho. El pecho del bulto.

Ana llega a casa de su hermana. Se calla. Meses más tarde, sabe que ya no puede callar. Ve a un médico. Es muy tarde. Su muerte es inminente. Le arranca a Paca la promesa de cuidar de sus hermanas, en particular de su niñita pequeña, Vito, que solo tiene cinco años. Paca le promete que las hermanas no se separarán. Promesa incumplida.

Poco después de la muerte de la madre, llega un hermano suyo, de Barcelona. Se marcha a los pocos días con Cristina. Ni Paca, ni Esperanza, ni Vito volverán a verla. La familia Macías Chacón se desintegró.

Paca trató de remediarlo como pudo. Una vez casada con Manolo, sacó de la horrenda casa de María a sus dos hermanas. Se fueron a vivir con el nuevo matrimonio.

No puedo ni debo acabar este capítulo sin añadir lo que sigue. Si, indirectamente, un miembro de la familia de Antonia aceleró la muerte ya programada de mi abuela, el destino, reparador, hizo de uno de sus nietos, muchos años más tarde, un eminente profesor en Cirugía. Ese profesor le salvó la vida a mi madre tres veces y a mí, una.

Bendita fuiste, Antonia que pariste a Herminia, que parió a René. Miles de gracias, René.

De Caribdis a Escila

Esperanza y Vito viven con Paca y Manolo. Esperanza trabaja, de modista, en un taller. Vito va a la escuela. Después de estos últimos años en la casa de la tía María, años de disgusto, de sufrimiento y dolor por las muertes de Luis y Ana, la vida en el hogar de los Rufo podría ser, si no feliz, al menos apacible y dulce. Nada de eso. Todos los personajes han tenido que afrontar situaciones anormales. Los cuatro.

Vito, tan pequeñita, y huérfana de padre y madre, siente una llaga que nadie puede curar o no sabe curar. Sus heridas, tan profundas, la desorientan, la trastornan. Expresa su angustia y desasosiego desobedeciendo y rebelándose ante cualquier imposición de Manolo.

Manolo está enamorado de Paca. Como todo hombre joven ha soñado con formar un hogar con la mujer amada y los dos, después, con tener hijos. No ha ocurrido así. Se ha visto obligado a compartir su vida matrimonial con sus dos cuñadas, en particular una pequeña, que él, no está preparado para asumir psicológicamente. Se cree obligado a educar bien a la niña. Pero qué mal lo hace. ¿Es autoritario o está asustado de la carga que le ha caído? Lo cierto es que se muestra duro y tirano con ella. Los resultados son catastróficos. Más severo es el castigo, más rebelde es la niña, que cada vez debe sentirse incomprendida, a falta de cariño, ese cariño que es primordial para un ser tan vulnerable de siete años. ¡Qué pena!

Represión, si llega tarde al anochecer, si trae malas notas del colegio, si hace novillos, si contesta mal. Manolo nunca perdona. Hay que encerrar a Vito en su habitación, sin comer. A escondidas, sus hermanas mayores le llevan la cena que ella rechaza. Vito llegará a la adolescencia con su corazón partido, sin haber saboreado una niñez feliz.

Paca, ella también soñaba con estar sola con Manolo, hasta la llegada de los niños. Los dos, solos, habrían aprendido a ser marido y mujer. No pudo ser de esa manera. No trató de cambiar el comportamiento de Manolo, o tal vez no lo pudo. ¡Era tan joven!

Esperanza vivió la tragedia de la muerte de su padre al que adoraba y cómo la enfermedad, implacable, le arrebataba a su madre… Vio cómo su hogar se derrumbaba. Su pena de adolescente le impedía ver el dolor en los demás. Convivencia llamada al fracaso, rotundo y total de estas cuatro personas que por circunstancias de la vida acabaron llenos de rencor y de odio, los unos contra los otros.

El tiempo, sin embargo, produce milagros. Hizo que el amor fraternal que se sentían las tres hermanas en Tetuán, resurgiera años después. El resentimiento y el enfado se fueron aplacando. Dejaron sitio al cariño que unió a Paca, a Esperanza y a Vito, para siempre. Y lo más bonito es que ese sentimiento lo recogieron los hijos, las hijas, los nietos, las nietas de las tres. Aunque vivamos alejados los unos de los otros, sabemos que constituimos una familia de verdad, la familia Macías, con un cariño que está para lo bueno y lo malo.

Cuántas veces, por razones de salud, he necesitado de mi tía Vito. Tanto ella como su marido, mi tío Carlos, me han acogido con infinita ternura. Qué fuertes son los lazos que nos unen a Piluca, su hija, a mí, a mis hijas… Increíble. Lo mismo pasa con mis tres primas Ruffo. Quiero a las tres. Pero es indiscutible que estoy más compenetrada con Encarnita. Cuando estuvimos en su boda, con mis padres y Ernesto, conocimos a su marido Antonio Chacón. Fue un flechazo. Qué hombre. Se comportó, en situaciones difíciles, que no olvidaré nunca, como un hermano. Un caballero.

Antonio Chacón, esto va por ti. Aunque te marchaste, un malísimo día, estarás para siempre con nosotros. Eras bueno, simpático, alegre, sincero, artista-poeta… Nos dejaste, por suerte, dos brotes, Rosi y Antoñito, que llevan lo mejor de ti y de su madre, mi querida Encarnita. Qué bien me lo pasé en la boda de tu hijo. Fue poco después de mi operación de corazón. Me implantaron una válvula mecánica. Bailé tanto que asusté a toda la familia. Temían que mi reciente válvula de acero saltase. ¡Qué va! Tú no estuviste presente físicamente, pero se olía tu presencia…

*   *   *

Las relaciones entre Manolo y Esperanza han sido correctas, cordiales tal vez. Ella tiene, ahora, diecinueve años. Es guapa. La melancolía de su mirada es un encanto y un atractivo que la embellecen aún más. No tiene amigas. Le apasiona coser y el mundo de la costura, coger un trapo y crear, con él, un vestido, una blusa, una prenda femenina. Tiene un duende en sus manos, que le durará siempre, hasta ahora. Piensa que la vida es eso, el taller de modista, las compañeras de trabajo, la casa de Paca y de Manolo, con las dos niñas nacidas de esta unión,

Anita y Encarnita, y Vito. Cuando llega de noche tiene que ayudar a su hermana en los quehaceres domésticos. Los domingos los pasan todos juntos.

Una prima de Manolo, que como casablanquesa no para sábado en casa, que sí va al baile, al teatro, al cine, etc., con su hija y un grupo de amigas, le tiene pena a Esperanza. ¡Qué vida tan monótona lleva esta muchacha! Se atreve a pedirle a Manolo llevarse, este sábado, a su cuñada a una velada muy *chic* en el hotel Majestic. Promete vigilarla más que a su hija. A regañadientes, Manolo acepta. Esperanza va deslumbrante. Su primer baile…

Ninguno de los protagonistas de esa noche pensó que ese baile supondría el traspaso, para mi madre, hacia otro universo, donde se le revelaría el amor. Un amor que durará hasta el último de sus días.

Esa noche única, conoció a Guillermo. Se enamoraron el uno del otro, nada más verse. Esa noche fue el inicio de una pasión que aportó disgusto y sufrimiento, durante años. Pero los dos se querían tanto que superaron los obstáculos y las penas. Después vivieron largos años de felicidad, total, perfecta.

Pero volvamos a la noche mágica. Los dos jóvenes desean seguir viéndose. Esperanza, radiante, presenta su amado a Manolo. Un frío polar invade el salón, a la llegada de Guillermo Ortiz. La entrevista es breve. Nada más irse Guillermo, Manolo, tajante, le prohíbe a Esperanza que se relacione con ese hombre. Un «imposible» rotundo, le contesta a la joven, seguido de un «por qué».

—Porque tiene que ser así –replica su cuñado.

El lunes Guillermo está esperando a Esperanza, en la puerta del taller de costura, y claro, ella llega tarde a casa. Primera discusión. Poco después, esas discusiones son peleas. Paca le ha dicho a su hermana el porqué del rechazo de su marido hacia Guillermo. En Casablanca, al igual que en la Península, en plena Guerra Civil, los españoles están divididos en dos campos, los republicanos y los franquistas. La misma pasión feroz anima a los dos bandos. Prohibido cruzar cualquier barrera. Te quedarás con los tuyos, sin tratos con los de enfrente, hasta el final de la guerra.

Otra vez la desdicha se ensaña con Esperanza. Manolo, al igual que su familia, es franquista. Guillermo, como todos los Ortiz, es republicano. Guillermo no conocía a los Ruffo, poco numerosos. Manolo sabe de estos Ortiz, republicanos acérrimos, muy involucrados políticamente. Manolo no puede aceptar que a la hermana de su mujer se la vea con un republicano. Ella pertenece al otro bando. Por primera vez, desde que vive en casa de Manolo, la joven sabe a quién debe pertenecer: a Guillermo, solo a él. Ella no entiende de política. Cuando Manolo recibe a familia o amigos para hablar de la situación en España, Esperanza sale de la sala, se va a su cuarto a leer o a coser. ¿Qué le importa a ella que Guillermo sea republicano o franquista? Ella lo ama cada día más porque es bueno, dulce, cariñoso, comprensivo, asombrosamente culto, simpático con un sentido del humor enorme. Consigue hacerla reír. ¡Y es tan guapo!

Asombrado, Manolo tiene ante él una Esperanza desconocida, rebelde, decidida, que desobedece a todas sus prohibiciones: ver, hablar, salir, tratar, con Guillermo. Llega el día de la elección que le impone éste a su cuñada: o su hogar o ese hombre republicano. Esperanza ni se lo piensa. Cogerá su ropa y se marchará. ¿Pero dónde?

Ella sabe que con Guillermo encontrará la felicidad que perdió hace tantos años.

Un domingo, a escondidas, Guillermo la ha llevado a su casa para que conozca a sus padres y familia y para que ellos, por fin, admiren a la mujer que le ha calado tan hondo.

La familia… Ella tenía una, en Tetuán. ¡Se esfumó tan rápidamente! La de Guillermo la ha atrapado desde el primer encuentro. Es que la casa de Adela huele a auténtico hogar. Y su gente, acogedora, alegre, afectuosa, le ha ido directo al corazón, esa gente criada y educada por Pepe y Adela.

Crianza y educación llenas de principios morales que José Ortiz, el patriarca intransigente, obliga a todos a respetar a rajatabla. Por desgracia, uno de esos principios le cae a Guillermo y a Esperanza como un rayo: una joven soltera no puede dormir bajo el mismo techo que su prometido!

Se podrían casar, deprisa y corriendo. Guillermo no quiere. Muchos jóvenes de Casablanca, casados, se han ido a defender la patria y han dejado viudas y huérfanos poco tiempo después. El tiene que marchar también, al igual que tres hermanos y varios primos. El puede morir. La situación es desesperada para los dos novios.

Es el momento idóneo, el que esperaba con morbo para intervenir la tía María. Ha seguido, de lejos, este intríngulis. Se presenta en casa de Adela, que no la conoce, y llorosa, dice tenerle infinita pena por su querida sobrina y que ella está dispuesta a acogerla en su casa, hasta el regreso de Guillermo.

Ni Sarah Bernhardt hubiera interpretado tan bien ese papel de tía dolorosa y buena. Adela la cree. Esperanza no, pero acepta su proposición. ¿Qué remedio? Empiezan, en seguida, los líos, los gritos, la vulgaridad, el infierno. Esperanza cae enferma.

Guillermo no puede tolerar que su novia soporte tales vejaciones. Toma la decisión que anhelaba ella. Se casarán y Esperanza vivirá con los abuelos, esperándolo, pase lo que pase. Se casan una semana antes de marcharse al frente Guillermo. Ocho breves días y noches que absorberán segundo a segundo, intensamente, con felicidad y total placer. Luego Guillermo se irá.

Guillermo y Esperanza

Es un ser destrozado el que acoge su nueva familia. El cariño, consuelo y compresión recibidos no pueden atenuar su desesperación inmensa. Esperanza está convencida de que nació con mala estrella. Largos días y noches llorará por su marido. Una mañana se levanta, los ojos secos. Sus lágrimas se han agotado. No volverá a llorar nunca más.

El calor, la ternura, la paciencia de los abuelos, cuñados, de todos, van, poco a poco, a atravesar el caparazón que envolvía su corazón. Ese corazón que ella creía cerrado como un puño, para siempre, muy lentamente, se abre para recibir a su nueva familia, a estas personas tan nobles que fingen olvidar que cuatro de los suyos pueden morir en cualquier instante.

Por ahora, lo más importante es que Esperanza vuelva al mundo de los vivos, con sus penas y alegrías, sus incertidumbres y promesas. El éxito es total. La mujer muerta está resucitada. Pertenece a este hogar y quiere compartirlo con su gente. Allí se quedará dos años, de pena, angustia, salpicados de risas y pequeñas alegrías, esperando con ilusión el regreso de su bien amado, pero sabiendo con certeza que nunca más conocerá la soledad.

Tiene una familia. Nunca olvidará esos dos años vividos con ella.

Cinema Vox

Casablanca se divierte

¿Cómo se divierten los casablanqueses de mi entorno? La mar de bien.

Después de estas dos guerras horribles, en la que casi toda la familia perdió un ser querido, qué mejor sucedáneo para el olvido que las distracciones. Dice el refrán: «Mal de muchos, consuelo de tontos». Parte de verdad tiene el dicho. Las personas amargadas, cuando son numerosas, sienten menos pudor de tener ganas de diversiones, en los momentos trágicos. El dolor compartido es más soportable. El destino no te ha azotado solo a ti. Miras a tú alrededor y la resignación reina en todos sitios. No se olvidan las penas, las enterramos como enterramos a nuestros muertos, muertos que vivirán para siempre con nosotros. La vida sigue. ¡A divertirse! Pongámonos caretas de disfraz, la existencia en tan incierta y breve a veces.

*   *   *

¡Qué ganas de boda tiene la juventud! Casi cada sábado por la noche hay bodas: se casa un pariente, un amigo o un amigo de un amigo…

No hace falta invitación, poco protocolo está impuesto. Hasta le hicieron una canción por entonces en México, cantada por Miguel Aceves Mejía, *Los gorrones*. La mayor preocupación para las invitadas y para las gorronas es «¡Qué me voy a poner!». Los armarios no están muy repletos. Menos mal que ese vacío está compensado por la fértil imaginación de las señoras y señoritas: el mismo traje se modificará un sinfín de veces. Una enorme flor de seda en la solapa, un escote más atrevido, volantes añadidos a la falda o un elegante drapeado, en fin, un bonito detalle que llame la atención, que le dé la ilusión a la que lo viste, que va estrenando vestido para lucirlo en una de las múltiples salas alquiladas para esa noche tan especial.

Salas de boda no faltan. Está la sala de la Piscina Municipal, la de la Manutención, la del Puerto, la del Centro Portugués o Italiano, la de La Cigale («la cigarra» en francés), frente a una cárcel. A veces el ágape se hará en un patio lindamente adornado de farolillos, guirnaldas, flores… Un denominador común que encontrarás vayas a donde vayas: una magnifica orquesta con ocho o diez músicos. ¡Y qué pedazos de músicos!

En Casablanca la juventud no va a una boda para inflarse de comer. No. Va a bailar. Los casablanqueses adoran bailar, los mayores, los jóvenes y los niños. Cuántos tacones rompen las mujeres bailando *La bamba, La raspa, La bomba atómica,* etc. Menos mal que son precavidas y unos segundos zapatos están, por si acaso, ocultos en el bolso.

¡Otro rito seguido a raja tabla! Después de las doce de la noche, la orquesta cesa. ¡Silencio! En la mesa presidencial los recién casados van a romper el impresionante pastel llamado *piece montée,* que será desmontado después para compartirlo entre todos, acompañado de las peladillas blancas, los bizcochitos y el inevitable e imprescindible champagne. Después de este intermedio, los novios, muy discretamente, se escabullen dejando a las dos mamás llorando de emoción. Sigue luego la fiesta hasta la madrugada.

Los días siguientes las cotillas le darán a la lengua: que si el vestido de la novia lo había estrenado otra, que si se atendía a los invitados de la novia mejor que a los del novio, que si fulanita se perdió con uno por los jardines, como se apretujaban bailando esos dos… A media semana no se critica mas, hay que preparar los trajes para la boda próxima.

Los velatorios

Al igual que hay muchas bodas, hay también muchos entierros. La noche que precede al funeral aquí se hace como en España, se vela al difunto. Para tan triste circunstancia, la familia está acompañada por vecinos, amigos, conocidos. Las casas por entonces, son más bien pequeñas y con escasas habitaciones. Se reserva una para el fallecido, que reposa en una cama. A su alrededor las mujeres, las más cercanas, lo lloran. Hablan entre llantos muy bajito como temiendo que el difunto se entere de lo que se dice. ¡Si solo son cosas buenas! Se repite una y otra vez cómo ocurrió su muerte. ¡Qué pena que se vayan siempre los mejores! Se pasa a resaltar una y otra vez sus múltiples cualidades. Las lágrimas, los suspiros y las palabras dichas muy bajito envuelven al que está de cuerpo presente. De vez en cuando un hombre de la familia entra afligido, contempla el cuadro doloroso, echa él también un hondo suspiro y sale de la habitación. Vuelve a reunirse con los otros acompañantes, en otro cuarto o en el patio o en la calle si no hace mucho frío. A veces la vecina más cercana vacía parte de su casa para tal acontecimiento.

La noche se anuncia larga, todos los presentes han ido al cuarto mortuorio a dar el pésame. Visita breve. Regresan con los otros acompañantes. Caras tristes, de circunstancia. También aquí se comenta lo buena persona que era el que se fue. Se pasa a otros temas, el trabajo, los toros, el fútbol, el tiempo…

Para vencer el sueño, se bebe café muy caliente y bien cargado, las horas desfilan lentas. En un rincón un grupito se ha formado. Alguien está contando algo gracioso, un chiste, por las caras de los demás, sonrientes. Se le pide que lo repita más fuerte, las sonrisas son ahora autenticas carcajadas. Luego otro chistoso se atreverá y después otro y otro… La noche se está poniendo más divertida.

He sabido de ciertas personas, mujeres incluidas, traídas a los velatorios, para acortar las horas, para distraer.

Margarita Ortiz con sus padres

LAS TARDES DEL DOMINGO

En invierno se organiza la salida dominguera el sábado.

La mayoría elige el cine. Primer dilema: qué película se puede ver. Si en casa hay niños se verá una de Walt Disney, un Zorro, un Tarzán... Si son grupos de jóvenes o parejas de enamorados, se optará por comedias o tramas de amor que harán llorar desconsoladamente a la chica, que nunca lleva pañuelo. Su pareja entonces, conmovida, saca el suyo para enjugar las lágrimas. Las dos cabezas se unirán un poquito más y así quedaran hasta que finalice la película.

Pero antes de entrar al cine hay que comprar las localidades. Cuántos empujones delante de las taquillas. Es que la familia al completo quiere estar colocada en la misma fila. Los novios eligen al fondo, de preferencia la última. Se les ve menos. En el interior de la sala, si faltan asientos para un grupo, los ya colocados, complacientes, ceden los suyos. Ellos buscarán otros en cualquier sitio separado. Cuando llega el entreacto, es el disloque para los niños. Como flechas, salen al bar para comprar chucherías, helados, buñuelos. Los padres también dejan sus asientos para tomar un refresco y charlar con conocidos hallados ahí. Las luces se apagan, pronto todos a sus sillones, un niño lloroso no encuentra el suyo. Su papá o un hermano mayor ira rápido en su búsqueda.

Al salir del cine la noche ha caído. Mas es pronto para regresar a casa. Por familias, por grupos de amigos o por parejas, todos se dirigen hacia uno de los numerosos cafés que cercan las salas de espectáculos. Se entra en el primero que se presenta. Ni una mesa libre. No importa, se busca otra cafetería, habrá más suerte. Pues sí. ¡Hay mesas y sillas libres aquí!

Una vez sentados, llega el camarero para el pedido: las bebidas y sobre todo las raciones llamadas aquí *kemias:* pinchitos, salchichas, ensaladilla de patatas, mejillones, habas cocidas, caracoles, garbanzos... Entran de la calle, vendedores de almendras tostadas, erizos, patatas fritas.

Siempre se encuentran, en la sala, amigos o familiares. Se cruzan las invitaciones. Viene el camarero con dos docenas de pinchitos, diciendo que son de la parte de este señor. Un intercambio de saludos de manos y a su vez de envíos: una *kemia* de caracoles, garbanzos... Los niños, cansados de estar sentados, se levantan para jugar con amiguitos que están allí. Gritan, ríen, corren entre las mesas. No molestan a nadie.

Pero se hace tarde. Hay que volver a casa. Mañana hay que ir a la escuela, o a trabajar.

Volviendo a eso de las *kemias*. En un café del barrio Mers Sultán, Chez Louis (Casa Luis) te sirven once *kemias* por una cerveza u otra bebida, pero aquí esas once *kemias* no se pagan. Once… Ni qué decir que se debe hacer cola para encontrar mesa Chez Louis.

Un picnic primaveral

Casablanca está bañada por el océano Atlántico, de norte a sur. La costa sur está formada por una bella cornisa (nuestra Corniche) orgullo de todos los casablanqueses. Esta cornisa esta engalanada, a su derecha, por un sinfín de playas de arena fina y dorada que viene a fustigar o a acariciar el mar, caprichoso y cambiante. Su izquierda está salpicada de bosques de mimosas, arboledas de eucaliptos, praderas soleadas, que al finalizar el invierno, sus alfombras de flores policromadas sorprenden y maravillan a las miradas.

Esa diversidad anima a las familias a disfrutar de tan encantador entorno los domingos.

Sencillo para los privilegiados que tienen coche, esos «edenes» están a pocos kilómetros de la ciudad. Los demás alquilan un carro o varios para todo el día. Muy temprano llega el carretero por nosotros. Entre risas y bromas se carga todo lo necesario para pasar el domingo: comida, mantas, vajilla, fuertes cuerdas para sostener columpios entre dos árboles, instrumentos de música... Hay que dejar huecos para las personas. ¡Uf! Todos consiguen encontrar sitio.

Nada más los caballos empiezan a trotar la juerga se monta. Llegados al lugar deseado, unos «exploradores» descubren el sitio idóneo, es decir donde el suelo no sea pedroso, que haya arboles para dar sombra, donde el viento no azote fuerte... Han encontrado tal paraíso. ¡A descargar!

Qué bien se está aquí. Qué lugar tan bonito. Las ramas de las mimosas, cuajadas de flores olorosas, caen hasta el suelo y se mezclan con los tapices tejidos por amapolas, margaritas, acianos, lirios... que cortados al final de la tarde compondrán ramos suntuosos que llevaremos a casa. Para el columpio se busca dos troncos de eucalipto, también en floración. Qué perfume tan suave tiene la pequeña flor de eucalipto...

En tal idóneo y bucólico entorno, las diversiones son muchas: partidos de fútbol, de petanca, paseos en grupos, cantando y saludando efusivamente a otros excursionistas encontrados en el camino. Están también los juegos...

Poco me gusta decir o escuchar «Antes nos lo pasábamos mejor. No se hacían tales cosas, etc.». El pasado es el pasado.

Las comparaciones, si no son odiosas, son inadecuadas. Pero yo debo constatar que los comportamientos en el tema del ocio, han cambiado.

Actualmente hay infinidad de maneras para pasarlo bien. Antes había infinidad de maneras también para pasarlo bien. Maneras totalmente distintas, las de ayer y las de hoy. Sin polémicas. Sin opciones. Sólo una constatación. Las personas están ahora «tabicadas». No se mezclan las edades, aún menos las generaciones. Hasta entre los adolescentes hay fracciones: los de doce años, los de dieciséis, los de veinte. No comparten juegos, salidas, amigos.

Volvamos a mi picnic. Se inician los juegos. Carreras de sacos, la gallinita ciega, chocolate a lo ciego también, es decir, dos personas con los ojos vendados, sentados, separados por una mesita, tienen que darse la una a la otra chocolate espeso con cucharas. Las cucharas más veces irán a parar a otro lugar de la cara o de la ropa que a la boca del contrincante. Los asistentes se mondan de risa al ver a los dos adversarios hechos un asco. Como lo refería más arriba, en esos «combates», concursos, en todos los juegos, las edades están confundidas.

Llega la hora del almuerzo. Cada familia posa en el suelo una manta cubierta con un alegre mantel. Y a vaciar las canastas. Tortillas, charcutería, alcachofas y habas crudas, huevos duros, callos, caracoles y un largo etcétera. Después se pondrán los postres: frutas, bizcochos, tartas, pasteles y los termos con café. Las señoras se han esmerado el sábado en sus artes gastronómicas. Los platos circulan de mantel a mantel, al igual que los vinos, a raudales.

Después de estos inflones de comer y de beber, la siesta es indispensable. Momento propicio para las escapatorias de los enamorados. Furtivos, se alejan del cuadro familiar. Aceleran los pasos hasta llegar a una arboleda frondosa. Sentados sobre la hierba se permitirán ciertas osadías, besos apasionados, caricias atrevidas, promesas de amores, concertación de citas para la semana que viene. Con hondos suspiros dejan ese rinconcito cómplice de sus quereres y prestamente vuelven, separados cada uno con los suyos.

Desgraciadamente, ellas, siempre ellas, las cotillas, que están al acecho, habrán visto todo el «tejemaneje». «Por bondad», están en la obligación de contar a la mamá la escapatoria de la niña, por su bien, para que no se hable mal de ella. ¡Menuda bronca formara la mamá a su hija sinvergüenza! Ella, con la cabeza agachada, aguantará el sermón, gritos y amenazas de su progenitora, pensando en el dulce momento vivido con su amado. ¡Fue tan romántico el paseo!

Volvamos a lo demás. Cuando los cuerpos están cansados de excursiones, comilonas, juegos, se sientan entonces, formando grupos alrededor del maestro-músico que sacará una guitarra, una armónica o un acordeón. Al concierto les siguen los cantos y hasta el baile.

La primera estrella que brilla en el cielo anuncia el final del picnic. Ya llegan los carreteros a por nosotros. Agotados, pero contentos de este día, tan bonito, volvemos a casa, prometiéndonos rehacer otra salida campera, dentro de poco. Muy pronto.

Un paseo al campo

Un domingo en Fedala

En verano donde mejor se está es en la playa, en una de la infinidad de playas que tenemos.

En la Corniche, están la del Faro, la de Benaim, la de Sidi Abderramán... Hay otras al sur de Casablanca y otras al norte. Muchísimas son, pero sin la menor duda la más hermosa es la de Fedala.

A poco más de veinte kilómetros de la ciudad se encuentra Fedala. Una pequeña localidad pesquera y veraniega con su plaza administrativa, iglesia, escuela y colegio, su mercado, casino, todo con un sello muy peculiar. Muy peculiares igualmente son sus cafés. ¿Vamos a Fedala por su playa o por sus cafés? Por ambas cosas, seguro. Es que los cafés de Fedala son la mar de pintorescos. Nada que ver con los de Casablanca. ¡Qué va, son únicos!

Fuera, en la terraza, las mesitas redondas, con sus sillas alrededor, incitan ya al dominguero a tomarse una cerveza, un aperitivo o a comer. Si lo desea, puede instalarse en el interior. La sala fresca, grande, semioscura, tan limpia, con su suelo embaldosado, reluciente como un espejo, está envuelta por los aromas apetitosos e irresistibles que se escapan de la cocina donde se preparan platos caseros y *kemias* variadas. En un rincón, el imprescindible billar y a veces un piano que hará bailar a todos. Se baila mucho en Fedala. En el fondo de la sala, el ambigú. Detrás, sobre estanterías, muchas botellas de vinos, digestivos, aperitivos, champagne... Al lado, una ventanilla por donde se dan los encargos y se reciben los pedidos.

En semana, la faena es llevada por el amo y un camarero pero el *week end* y en verano, estos dos hombres no pueden dar abasto. Hay tanta clientela amiga y fiel... Viene a echar una mano buena parte de familia, los hijos, hijas, nueras, yernos, etc. Ninguno ha salido de una escuela de hostelería, ni falta que le hace. Aquí se preparan guisos sabrosos, aunque sencillos, pero todos suculentos.

Queridos cafés de Fedala, cuántos recuerdos me habéis dejado. Todos tan bonitos.

Volvamos a nuestra pequeña ciudad veraniega, celebre también por su pan. Hasta los casablanqueses, «humildemente», lo admitimos. Es mas bueno el pan de aquí que el nuestro.

Antes de llegar a la playa nos acoge un oloroso pinar. Frente a él, un parque a la francesa con sus árboles talados a la perfección, sus jardines cuidados con esmero, formando un conjunto armonioso y sobrio. Para darle vida a tanta armonía y sobriedad, detrás del parque se halla una marisma poblada por garzas, ibis, flamencos, grullas y muchas más aves acuáticas. ¡Qué maravilla!

Otro encanto de Fedala es su Acantilado, sí con A mayúscula. Se llega a tan sorprendente lugar por una pequeña carretera sinuosa que acaba en una explanada. Ahí el visitante se queda encandilado. Un vaho de salpicaduras de mar, de yodo, de sal, lo envuelve penetrando por sus poros, su nariz y su boca. A su derecha, el Acantilado, llamado por nosotros *La Falaise,* abrupto, alto, recto, dominando el océano. Acercándose al borde del precipicio, se descubre el mar furioso, bravío, que rompe sus olas malaquitas contra las paredes rocosas. El choque brutal y violento, cambia esas olas verdes en una espuma inmaculada que trata de alcanzar el azul del cielo. Fascinado, seducido por ese rompiente estruendoso, uno se ve obligado a liberarse de la atracción peligrosa y arrebatadora del vacío que quiere aspirarlo hasta el abismo. Se retira unos pasos, cierra los ojos. Vuelve la cabeza. Pasmado cree estar soñando. Desaparecieron la inmensidad, la mar arbolada verde, la espuma fragante. Ante él, un riachuelo, que sin ningún temor por esa terrible inmensidad, se atreve a desembocar plácidamente en el temible océano. Los meandros de nuestro riachuelo se han paseado, hasta llegar aquí, por riberas de arena fina y dorada, adornadas por enormes rocas, reino de miles de cangrejos. Alegran tan bella estampa unas casitas de madera de pescadores, pintadas de diversos colorines y adornadas de jardincitos encantadores. Felices los privilegiados que las habitan, qué afortunados son al disfrutar desde sus ventanas de ese maravilloso edén, en particular en el crepúsculo, cuando una compañía de flamencos se posan en la orilla. Sus alas rosas, desplegadas, ocultan parte de la puesta del sol que lentamente se sumerge en el océano indómito, cambiando paulatinamente el esmeralda de sus olas por un azul oscuro, casi negro. ¡Ha llegado la noche!

Otros tesoros más tiene Fedala: dos. Su puerto y su playa.

Ese puerto tan concurrido acoge continuamente barcos sardineros, atuneros, rastreros, palangreros, botes, falúas que llegan repletos de pescas increíbles, abundantes, dispares. También recibe gasolineras y navíos que dejan indiferente la multitud que visita el puerto, pues ese gentío alegre y alborotado, viene a maravillarse de sus profusas presas descargadas en la lonja y para asistir a la alegre y entretenida subasta. Los curiosos, muchos, salen de ahí con un ranchito de pescados comprados a muy buen precio y otros con las manos vacías pero, igual de contentos y felices por el buen rato pasado.

Saliendo del puerto, a su izquierda, un larguísimo espigón lo separa de la

Playa. Ella también con P mayúscula. Qué Playa. Infinita. Se mezclan la mar, el horizonte, las dunas. La playa es de arena fina, dorada. Ni una sola roca. A marea alta, las olas suaves, ondulantes, azules o verdes, vienen crecidas, altas pero sin animosidad. Poco a poco van achicándose hasta formar una mar rizada que acaba en la orilla depositando espuma blanca. Horas más tarde, se retirará lejos, muy lejos. La arena mojada dibuja surcos irregulares. Unas olitas lejanas forman entonces una mar rizada. También nuestra playa apacible y acogedora tiene sus crisis, casi siempre durante los equinoccios y curiosamente el quince de agosto. Entonces es una mar arbolada la que lanza sus olas enfurecidas, hasta las murallas del Casino, recubriendo la playa, apoderándose de ella totalmente.

Los curiosos, impresionados por tal cambio, contemplan esa furia desde las balaustradas de las murallas altas del Casino.

Poco duran esos arrebatos. La rebelión es pasajera, un día o dos. Después, avergonzada y arrepentida, nos envía de nuevo sus olas, aun más bellas, que vienen de tan lejos, para acariciar la ribera con humildad.

Margarita y su hermano Ernesto

Otro domingo en Fedala

Mis padres, como muchos obreros, desean que sus hijos disfruten de domingos sanos y divertidos.

En verano, papá elige Fedala. A partir del lunes, tiene que telefonear al gerente de la playa del Casino para que le reserve una caseta. Dicho Casino, de arquitectura colonial, sobria y elegante, está rodeado la parte de atrás por un pinar. Unas escaleras que parten de sus murallas, altas, conducen hasta la playa. A los pies del Casino, a la derecha y a la izquierda, posados sobre un suelo de listones de maderas, hay un café restaurante, rodeado de casetas de lona rayadas de unos cuatro metros cuadrados. Se alquilan los fines de semana y los días festivos. Pocas casetas hay para tanto pedido. Papá, siempre tan precavido, el lunes de mañana, telefonea al encargado del alquiler para reservar una, más si vienen con nosotros familia y amigos.

El domingo, muy madrugadores, dejamos la casa. Mis padres se reparten las bolsas y canastas. Los seguimos Ernesto y yo. Andando, llegamos, una hora más tarde a la estación de autocares Salama, que asegura el transporte Casablanca-Fedala-Casablanca. A pesar de lo temprano que es, una multitud nos ha adelantando, esperando en fila hasta llegar a la ventanilla para la compra de los billetes. Papá calcula que tendremos que esperar al cuarto autocar. A esperar se ha dicho. Y sin salir de la cola ni un instante, por miedo a que otros se interpongan. Con qué lentitud va esto. Qué poca paciencia tenemos Ernesto y yo. Nos entran ganas de hacer pipí, de comer, de beber. Pero nada de eso, a aguantar. Por fin llega el nuestro. Pronto a coger asientos aunque estemos separados.

Arranca el coche. Los kilómetros desfilan con una lentitud desesperante.

Stop. Hemos llegado. A coger nuestro equipaje y otra vez a andar hasta la playa. Una sola parada obligatoria: en la panadería. El sol ahora alto en el cielo, nos manda sus rayos, implacables, sobre nuestras cabezas. Sudamos la gota gorda. Por fin estamos en la arena ya ardiendo. Papá busca nuestra caseta. Sobre una manta, que pone mamá en su interior fresco, dejamos los enseres: comida, bebidas, toallas, balón, libros, sombreros y los indispensables bañadores que nos apresuramos a ponernos. Pronto dejamos nuestra caseta y a disfrutar a tope.

Las olas nos invitan a entrar en ellas, a nadar hacia las balsas de troncos, puestas para los bañistas por el ayuntamiento de la ciudad, para zambullirse una y otra vez en las aguas limpias y transparentes, a veces azules, a veces verdes. De las balsas, vemos a lo lejos, en la arena achicharrante, tendidos sobre toallas, los adictos al bronceado, cronometrando el tiempo de exposición, tantos minutos de sol de cara, tantos de espalda, tantos de lado... Mañana será otro día cuando tengan que vestirse sobre los dolorosos golpes de sol.

Con la marea baja qué lejos se nos fue el océano. Sobre la arena húmeda y fresca, buscamos conchas diversas, raras, de nácar, tan bonitas. También hurgamos en los hoyitos, hasta atrapar en el fondo deliciosas coquinas.

Playa de Fedala, lugar de encuentros con familiares y amigos, de comidas compartidas, de risas y de buen humor. Felices domingos, siempre tan cortos.

Llega la hora del regreso. Mamá lo tiene todo recogido. Con poco ánimo, ahora, iniciamos el retorno. Qué horror, la estación de autobuses está repleta de gente. Largas horas de espera nos quedan. Llega la noche y nosotros todavía aquí. Por fin, un autobús con cuatro asientos libres nos recoge. Extenuados, apenas sentados, Ernesto y yo nos adormilamos. El autocar, después de infinitas paradas, nos deja en la terminal Salama.

Casi a rastras mi hermano y yo seguimos a papá igual que a mamá. Esos frenazos, detenciones, curvas de la carretera, le han provocado a mi madre, como siempre, unas náuseas y jaquecas horribles. Nada más llegar a casa, después de los inevitables vómitos que aumentan su dolor de cabeza, se acuesta, jurando que Fedala se acabo para ella.

Pero el lunes, ya repuesta, le recomienda a papá que reserve la caseta para el domingo próximo. Los niños se lo pasan tan bien en Fedala...

Teresita Montero

¿Ciertos, casi ciertos, deformados, embellecidos, exagerados? No lo sé. El caleidoscopio de mi memoria me ha guardado estos recuerdos.

De Andalucía, vienen, antes de la Guerra Civil dos mujeres, madre e hija. Esta es Teresita, bailaora. Mucho bailaba en su tierra pero poco ganaba con su baile. Se plantan aquí con la ilusión y esperanza de que el arte de la muchacha dé para comer. Y así fue que Teresa, bonita, morena, garbosa, con mucho salero, es acompañada a todas sus actuaciones por su mamá vigilante y celosa de la honra de su niña. La colonia las aprecia mucho. A las dos por su valentía. A María por su desvelo hacia su hija. A Teresita por su arte y gentileza.

Pasa el tiempo. Un mal día, María tiene una discusión con una francesa. Como las dos no se comprenden tratan de dialogar con las manos. La andaluza es más expresiva. La francesa recibe un bofetón que la deja sin resuello. María, que no se sabía con tanta fuerza, le pide perdón a su contrincante. En español. La otra ni la mira.

Pocos días después, la policía se presenta en casa de las Montero con una convocatoria. María tiene que presentarse en el juzgado. Se le acusa de haber agredido a una dama francesa. El día señalado, madre e hija están ante el juez. No comprenden nada de nada.

—Que yo me vea aquí por un bofetón, ¡ni que hubiera matado a la gachí! –repite sin cesar María.

Un traductor es asignado para que todos se entiendan. La sentencia es pronunciada rápidamente.

—Madame Montero María, española, tiene que salir del territorio marroquí, antes de un mes. Sus hechos son intolerables.

Nuestro traductor traduce, María, callada, reflexiona. Poco tiempo. Mirando muy seriamente al intérprete le dice:

—¡Hijo, qué le vamos hacer! Si nos tenemos que ir de Marruecos, como lo ha decidido el señor Juez, nos iremos. Pero pregúntale, si acaso nos podemos ir a vivir Teresita y yo, a Fedala.

Ante tanta ignorancia, candor y humildad, el traductor no puede reprimir la risa. Una risa que se corre hacia todos los que saben español en la sala. Las carcajadas inundan el juzgado.

Enfadado, sorprendido y luego francamente curioso, el juez quiere enterarse del porqué de tal hilaridad. Al saberlo, hace como los demás: «se mea» de risa, como se suele decir. Cuando por fin la calma se restablece, el magistrado, con las lágrimas rodando por sus mejillas, le dice al intérprete:

–Dígale a esta señora que se puede quedar aquí con su hija, en Casablanca. ¡No es necesario que se exilien… en Fedala!

EL FÍGARO CHIFLADO

¡Qué particular es mi tío Antonio! En el mejor sentido de la palabra. Pocos hay como él. Bueno, generoso, ayudando siempre a la familia y a extraños. Es el paño de lágrimas de los Ortiz.

Ha sido el último en casarse y dejar el techo materno. Es el único que no es obrero. Tiene una barbería en el barrio de Mers Sultán. Su clientela se compone de franceses, muchos de ellos militares, de algunos españoles y de todos los varones Ortiz, mayores y pequeños. Naturalmente, mi tío no le cobra a ninguno de los suyos. Vaya tribu.

Hay un rito en la familia: es Antoñito el que tiene que cortar el pelo a todos los bebés que pasan a niños. Mi tío sienta al chiquito sobre varios cojines, lo cubre de toallas blancas, y muy serio convierte la cabeza del angelito en la de un «hombre». Asisten a la ceremonia iniciática los papás, hermanos mayores… El nene, por cierto, chilla y patalea de miedo. La mamá emocionada echa sus lágrimas: «¡Ay mi bebé! ¡Cómo me lo han cambiado»!, piensa apenada cuando ve a su criatura recién pelada. Tito Antonio le entrega el neófito, lloroso, lagrimoso, mocoso. Para calmarlo encima le regala un frasco de colonia y unas monedas para que le compren caramelos. La comitiva al completo se marcha a casa de la abuela Adela, que dice como de costumbre: «Ya era hora que Antoñito le cortara la melena que tenía, el niño, ¡así está más guapo!». La madre se calla, suspira hondo. Ella lo prefería como estaba antes del pelado.

Pero volvamos a mi tío Antonio.

Dije anteriormente que era el paño de lágrimas de los Ortiz. Qué va. Es el paño de lágrimas de todos los necesitados que él considera que pueda ayudar.

No hay mejor ejemplo que el que voy a contar. Uno de sus amigos barberos como él, llamado el Niño la Moda (no supe nunca sus verdaderos apellidos), fue internado varios años en el hospital psiquiátrico de Berrechid. ¿Por qué?, lo ignoro. Los médicos consideran un buen día que está «curado» y le permiten salir de la cárcel hospital. La familia lo acoge con regocijo, lo visten, le dan de comer y algún dinerillo para sus gastos. Pero el Niño la Moda no está satisfecho, quiere trabajar. ¿Pero qué peluquero va a permitir que uno de sus empleados recién salido del manicomio, utilice navajas, cuchillos, tijeras en su peluquería?

El pobre, desesperado y aburrido va a ver a mi tío y le cuenta sus penas. Antonio, conmovido, le dice que se ponga el babi blanco, se lave las manos, se afeite y corte el pelo de uno de los clientes que espera su turno, leyendo una revista. Este buen hombre, sorprendido porque mi tío tenga un empleado, entabla una conversación con el nuevo Fígaro. Y el nuevo Fígaro, al compás de la navaja que sube y baja por las mejillas, el cogote, la barbilla, le cuenta su estancia en Berrechid, salpicada de anécdotas de chiflados. Nuestro pobre hombre piensa que su última hora llega. Petrificado, no puede ni hablar. Resignado, espera la muerte. Entre risas y buen humor su «verdugo» termina su afeitado y pelado a la perfección, cepilla al moribundo, lo perfuma, le quita toallas y peinador, y lo saluda con un «hasta la próxima». Descompuesto, tambaleándose, mareado, lleno de pavor, con voz temblorosa, le pide a mi tío que se cobre. Lo que hace Antonio, preguntándole, al notarlo tan raro, si le ocurre algo. El otro no contesta y sale pitando, dándole gracias al cielo por haber salido vivo de allí.

¡Vaya dos locos! El antiguo pensionista del manicomio y el señor Ortiz por permitirle que trabaje en su peluquería. Peluquería que por cierto no le verá más el pelo.

Como éste, rápidamente, se va casi toda la clientela y mi tío sin comprender el porqué de este abandono. En menos de una semana se vacía el salón.

El sábado por la tarde llega mi padre a la peluquería. Extrañado de ver la tienda tan desocupada y las caras de los dos afeitadores, papá se pregunta el porqué de esa situación. Inocentemente mi tío le contesta:

—No sé qué ha pasado pero da la casualidad que al entrar el Niño la Moda por esa puerta se han ido todos mis clientes. Y mira que es simpático, y trabaja bien.

A lo que papá contesta:

—¿Y qué falta tenias tú de ayuda? ¡Siempre te la has arreglado solo!

—Eso lo sé yo, pero como el pobre no encontraba trabajo, le dije que se quedara algún tiempo aquí, pero claro está, sin dejar de buscar otra peluquería.

Mi padre se calla. Al rato, es la hora del cierre. El amigo de mi tío se despide y se va para su casa. A solas con su hermano, en la calle, papá trata de convencer a Antonio de que tiene que deshacerse de su «ayuda», por mucha lástima que le tenga. ¡Ningún hombre sensato pone su cara, su cabeza, su cuello en manos de un recién salido del manicomio!

Pobre tito Antonio. Seguro que pasó la noche en vela. Con qué apuro a la mañana siguiente, tuvo que despedir al Niño la Moda. Este pobre lo comprendió o no lo comprendió, pero se marchó.

Los habituales de mi tío, al enterarse de que de nuevo está sólo el señor Ortiz, con sus tijeras, navajas y cuchillos, reaparecen en el salón, todos. A mi tío le costó un montón esta decisión drástica y para él, injusta.

Quid pro quo

Es la Nochebuena, la noche de Noel, como decimos nosotros.

La familia Ortiz al completo, así como muchos amigos, la celebran en casa de los abuelos.

Una Noel no muy «católica», pero la mar de alegre y divertida.

Al igual que en la Península, para esa noche especial se utilizan instrumentos especiales: zambomba, hecha por Tito Pedro, con un tamboril cubierta por una piel de conejo curtida; panderetas hechas con cápsulas de botellas aplastadas; carrizos; guitarras; armónicas…

¡Y todos a cantar!

Rancheras, coplas, canciones y algunos villancicos. Villancicos más bien profanos y ligeramente verdes.

Papá trata de dirigir el coro. Tarea nada fácil. Es a quien canta o mejor dicho chilla más fuerte. Mañana estaremos todos afónicos, pero qué más da. Esta noche es Nochebuena y no es noche de dormir. También bailamos «danzas navideñas», como *La tía Juana, El tío del Candil*, etc.

La puerta dejada abierta es un continuo llegar de grupos de jaraneros, que vienen a compartir con nosotros momentos de alegría. Traen sus propios instrumentos. Los recibimos efusivamente… Una pauta se impone. La mesa grande está repleta de exquisiteces navideñas: mantecados, hojuelas, alfajores, turrones, así como licores diversos: Marie-Brizard, crema de banana, Curaçao, Licor 43, Anís del Mono, Machaquito, ron… Tampoco faltan las uvas en aguardiente. Estas delicias caen fetén en los descansos musicales.

Luego sigue la juerga. Hasta el agotamiento total. Entonces a descansar, recuperar fuerzas para mañana. Sigue la Navidad.

Algunos se quedan aquí a dormir, los que viven lejos, los que tiene bebés. Los otros regresan a sus casas.

Mi hermano y yo estamos reventados. Papá sube a Ernesto sobre sus hombros. Yo, cogida a la falda de mamá, camino arrastrando los pies, medio dormida. Menos mal que estamos cerca. Llegados a casa, puestos los pijamas, nos tiramos en las camas con deleite, echando una última mirada a nuestro hogar, pequeño pero tan apacible, tan caliente, tan dulce, tan bello.

Mamá ha encerado los muebles que relucen en la oscuridad. Sobre los pañitos almidonados, están posados jarrones rebosantes de rosas, claveles, mimosas y, otros, del indispensable acebo con sus hojas verdes, salpicado de púas y cuajado de bolitas rojas. Colocada en una mesita baja está la artística bandeja hecha por el abuelo, llena de dulces y bebidas navideñas. En el sitio de honor se erige el árbol de Noel. Papá compró el abeto. Fuimos Ernesto y yo para tan solemne adquisición. Como de costumbre, mi padre se dirigió al vendedor que poco surtido tenía y que vendía menos.

—Así tendrá algún dinero esta noche —comentó Guillermo cargado con el árbol a cuestas.

Como era de esperar y como de costumbre, a mamá no le gustó el arbolito. A mi hermano y a mí, sí. Esta noche lo encontramos magnífico, con sus adornos adecuados: bolas de colores, estrellas y guirnaldas plateadas y doradas así como sus obligados «Papa Noel» y zuecos de chocolate, también colgados en el árbol.

Nuestra casita huele a pinar, a bosque… Nos dormimos tan felices, las escasas horas que quedan para mañana…

Mañana, al despertarnos, Papa Noel habrá dejado cantidad de regalos, para todos. Qué levantar más bonito tendremos. Al descubrir los obsequios, cuántas risas, besos, ternura y alegría retumbarán en la casa.

Nuestro sueño se interrumpe brutalmente por unos golpes en la puerta, aporreada. Fuera, en la calle se oyen gritos como de pelea. Asustados nos levantamos los cuatro. Mi padre abre la puerta y se encuentra, cara a cara, con Pepe, el mayor de mis primos, tito Pedro, una vecina, Carmen Tueski, y tras estos tres, un montón de curiosos.

Todos hablan y discuten al mismo tiempo. Qué barullo. Qué cacofonía. Valiente jaleo. ¿Qué ha pasado, qué hace mi tío Pedro a estas horas lejos de su casa? ¿Por qué Carmen Tueski se lleva tal sofocón?

Papá, primero, manda callar a todos. Sienta a los dos más sulfurados, Pedro y Carmen, y le pide a cada uno de los dos que cuente su versión de los hechos, sin que el otro lo interrumpa. Empieza mi tío. Se marchó de casa de los abuelos, unos de los primeros, con mi tía Adela y sus tres hijos que no aguantaban más. Viven bastante lejos, en el barrio Bourgogne. Llegados al domicilio, los niños y tita Adela acostados, Pedro aún tiene ganas de jarana y vuelve a casa de los abuelos, pero ahí la fiesta se acabó. El silencio es total, todos duermen. Sin desanimarse, Pedro decide seguir la fiesta y se viene para mi calle. «Tal vez algunos estén despiertos», se dice él. En su camino da con varios hogares aún de juerga, entra en todos ellos y sale de cada uno con una copita bebida.

Cuando llega a la rue de l'Allier, las copitas le hacen confundir los patios y las casas donde viven tres familias Ortiz: la de mi tío Pepe, la de tito Ernesto y la nuestra.

Desorientado da más vueltas que un trompo. Agotado, las piernas de trapo, cree por fin haber encontrado la casa de Pepe. Está vacía. Qué importa. Una linda cama lo atrae irresistiblemente y cae en ella, boca abajo. A roncar se ha dicho.

Ahora empieza lo bueno, Pedro no está durmiendo en una de las camas de Pepe, está en otra vivienda, las de los Tuesky.

Ahora es Carmen la que habla. Ella, también cansada de tanta marcha, ha decidido regresar a su hogar, dejando a su marido e hijos rematando la Navidad.

Con qué ganas va a coger su lecho. No tiene ni que abrir la puerta que se quedó abierta. Unos ronquidos horribles la frenan. Alguien duerme aquí. El ruido la paraliza, mas la curiosidad supera el espanto. Llega ante la cama. Estupefacta, la ve cogida en su totalidad por un hombre. Un gigante, le parece a ella. Como está de espaldas no lo reconoce. Se acerca un poco más. En ese instante, mi tío se vuelve, Carmen le ve por fin la cara. Lo reconoce. Es un Ortiz. Se esfumó el miedo, y la curiosidad. La cólera la invade. ¡Qué atrevimiento! ¡Este tío está loco! Ella es una mujer muy decente. Lo único que falta ahora es que llegue Ramón, su marido. ¡La que se armaría! Para evitar tal situación va a despertar a este insensato y echarlo de aquí aunque sea a escobazos limpios.

Empieza por lanzar injurias, gritos, maldiciones, que despiertan a mi tío. Asombrado no reconoce la furia que lo está agrediendo.

Ese griterío también ha despertado al patio entero. La casa de Carmen no abarca tanta gente. Menos mal que en primera fila está mi primo Pepe. Al verlo, se tira sobre él «la dama ultrajada» vociferando, tratando a mi pobre tío de sinvergüenza, queriendo deshonrarla, a ella, Carmen Tuesky.

Pedro ha recuperado el habla. Ha escuchado lo de la deshonra. El furioso es él ahora. Iracundo, se dirige a mi primo Pepe y le dice:

—Esta señora está loca, ¿que yo me voy a acostar con ella? ¿Yo? ¡Digo!, con la mujer que tengo, mi Adela, mi Doly que tanto quiero y respeto. ¿La voy a cambiar por esta? ¿Estoy loco? Ahora, porqué me encuentro aquí, ni yo mismo lo sé. Recuerdo que entré en vuestra casa y que me acosté en una de vuestras camas. ¡Eso creo yo!

Esas palabras no convencen a Carmen. Sigue el griterío. Mi primo, desesperado, decide llamar a mi padre, a ver si él puede desenredar este enorme enredo.

Guillermo, con su paciencia habitual, consigue calmar a los dos beligerantes, explicarles que mi tío no tuvo nunca malas intenciones, sólo se equivocó de casa.

La paz restablecida, Carmen, tranquilizada, por fin, recupera su cama.

Mi pobre primo Pepe, obedeciendo a mi padre, se viste rápidamente y le toca acompañar a su tío hasta su lecho que compartirá con la dulce Adela.

¡Vaya Noel! Cuántas cosas podremos contar el 25, en casa de los abuelos, a toda la familia reunida. Qué risa en perspectiva.

Desde luego que fue una Noche de Navidad la mar de original.

DUELO DE CACHONDEO

En mi patio Ohayon, vivimos doce familias españolas. Una es judía, la familia Benzaken. El señor Benzaken, de profesión cochero, quedó viudo muy joven, y a cargo de una pequeñita Esther, una preciosidad rubia, de lindos ojos verdes. Se volvió a casar. ¡Qué mala elección hizo! Su segunda mujer, Simona, es un desecho de imperfecciones: fea, antipática, más mala que la quina y lo peor de todo, una horrible madrastra para la pobre Esther, convertida ahora en una bellísima joven. La fatalidad unida a los malos tratos, enferman a la muchacha. Tiene tuberculosis. Los médicos obligan al padre a mandarla a sanar bastante lejos de Casablanca, en el Sanatorio de Azru, en el Atlas. Por primera vez en su corta vida, Esther conoce la paz y el sosiego. Todo el personal del hospital coge cariño a esta mujercita tan linda pero con tanta tristeza en la mirada. Pasan los meses. Los doctores, ante una remisión de la enfermedad, le dicen al señor Benzaken que venga en busca de su hija.

La llegada de Esther es acogida por todos los vecinos con alegría. La colman de cumplidos.

Tantas efusiones llenan de celos a la madrastra, que no comprende que todos prefieran a ésta que a sus cuatro hijos, fruto de su matrimonio con el cochero.

Su envidia, maldad y crueldad han llegado al paroxismo. El desdichado marido paga el pato. Las disputas y peleas matrimoniales son a diario. Es costumbre por entonces que dos de los hijos vayan en busca de la tía, hermana de Simona.

Qué diferentes son las dos.

La otra es una auténtica señora que se avergüenza de estas situaciones escandalosas que le impone su hermana. Pero dócil, viene siempre y consigue apaciguar a la arpía. A veces la acompaña el hermano de ambas. Buen hombre éste, aunque en el barrio se le diga afeminado y otras cosas más…

Esta tarde, en casa de los Benzaken, crujen las paredes. La Simona está como nunca. Qué no habrá dicho y hecho, que el desgraciado cochero, en el colmo de la exasperación, por primera vez, le levanta la mano a su dulce mitad. La furia, sorprendida y luego rabiosa, en vez de replicar le da por tirarse al suelo, gritando socorro. La quieren matar. El patio está atestado de niños y curiosos, todos la mar

129

de contentos que por fin nuestro desdichado señor Benzaken se haya puesto en su sitio. Seguro que ninguno interviene. ¡Ojala le zurre aún más!

Los dos retoños pequeños de Simona, ellos, ahora, francamente asustados de ver la fiera vencida, más veloces que nunca vuelan a pedir socorro a la tita.

Por la calle arriba llegan el hermano y la hermana. Como a sus sobrinos, la inquietud los embarga al ver a Simona revolcada, como una serpiente, acentuando más la histeria ante tanto público. Se enfrentan al cochero tratándolo de criminal. Este pobre, que le habrá tomado gusto a la rebeldía, vociferando le pide a sus cuñados que salgan de su casa.

Golpe de teatro. Entonces, el poco macho, a su vez frenético, saca del bolsillo del pantalón un revólver y lo apunta hacia el señor Benzaken, quien al verse amenazado, se le esfuma la rebeldía reemplazada por el pánico y emprende una huida olímpica. Le sigue el vengador.

El terror ha alcanzado al público que precipitadamente se ha refugiado en sus casas, pero siguiendo esta auténtica película del Oeste detrás de los visillos.

En el patio sólo están los dos protagonistas, uno corriendo tras el otro. El hermano justiciero alcanza al pobre cochero, lo empuja hacia la pared, con su mano izquierda lo mantiene tieso, con la otra sigue encañonándolo. Nuestro desdichado amigo suda la gota gorda. Enmudecido, temblando de miedo, cierra los ojos. Llegó su última hora.

¡El sheriff dispara! ¡Milagro de los milagros! En vez de una bala, de su revólver sale… un chorro de agua. La emoción ha podido con el cochero que cae, desmayado.

Un solo minuto es necesario para que los vecinos salgan de sus casas. Muertos ellos de risa.

VICTORIA

Si nuestro patio, por desgracia, abarca una Simona, goza por suerte de la presencia de una de las mujeres más bondadosas que yo haya conocido. Victoria se llama, para todos nosotros «Vitoria», a lo andaluz.

Menudita, bonita, todo en ella es dulzura. Casada con un buen hombre, desgraciadamente con poca salud, asume sola la educación de sus tres hijas y todas las responsabilidades domésticas. Nunca emite quejas, ni sobre la enfermedad de su esposo ni sobre las dificultades pecuniarias, ni sobre la inmensa carga que lleva sobre sus frágiles hombros. Por el contrario con la sonrisa iluminando su sereno rostro, aporta ayuda y sostén a todo su entorno. Sostén moral y físico, pues por desgracia, económicamente no lo puede.

Cuando una mujer del patio da a luz, es Vitoria la que cuida de los otros niños pequeños de la casa y quien se encarga del puchero que sustenta a la recién parida, a diario.

Si se le corta la mayonesa a una vecina, esta no se sofoca: va en busca de Vitoria que es la especialista en esto.

La señora Manuela, la decana del patio, le tiene horror a vaciar pollos, conejos, etc. Dice que no puede: menos mal que Vitoria se encarga de esa sucia tarea.

Podría seguir enumerando muchísimos otros quehaceres que nuestra hada realiza en ayuda de los demás. Los cumple con tanta facilidad y con tal aceptación que pienso que pocos le dan mucho mérito a su enorme abnegación. Como si esto que hace fuera lo más normal del mundo. ¿Tal vez tantas obligaciones colmen de dicha a nuestra querida Vitoria?

Porque eso sí, querida lo es, nunca he oído a nadie decir algo desagradable o inconveniente sobre ella, ni las peores malas lenguas, que son muchas.

Vitoria tiene Ángel.

Y ahora viene el colmo de los colmos. Sabiendo que mi madre está estos últimos días excesivamente acaparada por su costura, Vitoria le propone hacerle la compra en el mercado. Mamá ve el cielo abierto y acepta encantada. Esa vez se vuelve costumbre. Todas las noches, después de la cena, Vitoria viene a mi casa. Mamá sin dejar su labor, le dice lo que necesita. Otras veces oigo estas palabras:

«¡Ay Vitoria, no tengo idea! Lo que tú veas me compras, de pescado, de carne, de frutas…» Increíble.

Por si fuera poco, también se encarga del *marché* de la señora Manuela. Bastantes veces. Invierno como verano a media mañana aparece Vitoria, cargada con los canastos repletos para Esperanza, señora Manuela y para ella. Viene sosteniendo ese peso desde el *marché* de la Puerta de Marrakech. Asombrosa fuerza para una mujer tan frágil.

Vitoria es madre de tres hijas, Aurora, Elena la rubia e Isabel. Elena es mi mejor amiga, mi amiga del alma con la que comparto los secretos. Y cuántos son. Entre los suyos y los míos, se nos pasan las horas charlando. Viene la noche y aún quedan por compartir cosas que son tan importantísimas, tanto para ella como para mí. No podríamos dormir sin haberlas dicho. Así que nuestra cena se hace o en mi casa o en la suya. En la suya sobre todo e imperativamente si Vitoria ha hecho natillas.

Esas natillas son mis magdalenas «proustianas». Como a Marcel Proust, que la simple vista de una magdalena le hacía resurgir fragmentos precisos de su pasado, a mí, es el olor a canela el que por asociación fortuita de ideas, hace reaparecer en mi mente hasta ahora escenas de mi infancia y adolescencia.

Estoy sentada en la mesa de Vitoria, rodeada de sus tres hijas y de su marido. Un halo de paz, dulzura y convivencia baña le cena que se concluye con mis anheladas natillas.

Al escribir estas líneas, me viene a la boca el sabor delicioso de tan exquisito postre, delicadamente perfumado con canela. A lo mejor, o con seguridad más bien, en mi subconsciente se mezclan natillas, canela, Vitoria…

Vitoria dulce y delicada como sus natillas, generosa y abnegada, desinteresada y desprendida, dando tanto sin esperar nunca nada a cambio. Ahora, entrada en la vejez, no recuerdo haber conocido a otra Vitoria.

Querida dama, quedarás para siempre en mi corazón.

Tito Antonio trasnocha

Abuelo Pepe, amo y señor de la familia Ortiz, reina en su casa y sobre todos los que la habitan, que no son pocos. Se levanta por la mañana antes de que canten los gallos del gallinero y despierta a los demás. Para él, el ocio es la madre de todos los vicios. Así que, a levantarse también temprano los domingos y días festivos. Los despertados obedecen, refunfuñando, de mal humor. Ninguno se insurge. El que manda, manda.

Inconcebible sumisión hoy en día.

Mi abuela, exasperada, calla, pero las miradas que lanza a José Ortiz son la mar de elocuentes. Son puñales. Él finge no verlas. Adela tan tolerante, tan complaciente, qué mal soporta la tiranía y el yugo de su marido. ¡Mira que no dejar a los suyos, pequeños y mayores, descansar lo que les piden sus cuerpos! ¡Con lo que trabajan en la semana! A pesar de su carácter bravo, audaz, no se enfrenta a su esposo, no quiere disputas ni peleas vanas. Pepe no cambiará.

Conoce muy bien a su Pepe tirano, pero generoso y buena persona. Se las da de gallito pero sabe, como todos en casa, que para las cosas serias e importantes, ella es la que decide. Como sabe que en momentos de cólera, José sería capaz de echar del techo familiar al rebelde, aunque poco después, la cólera apaciguada, se llene de arrepentimiento. Pero con ese orgullo tan grande que le impedirá dar marcha atrás. Así qué, bueno, que se le va hacer. Que se levanten todos cuando al señor José le dé la lindísima gana.

Volvamos ahora al dormitorio común, donde duermen nueve o diez personas, dos y hasta tres por cama. El único en disponer de lecho propio es mi tío Antonio, el barbero. ¿El porqué de ese privilegio? No lo sé. Es también el único que se echa a la torera los mandamientos del patriarca, como el de no respetar los horarios impuestos. Pero eso sí, siempre ayudado y cobijado por su madre, al quite en cualquier desvió suyo. Si falta a la cena, abuela dirá que Antonio (por entonces con más de treinta años), le avisó que un cliente le rogó que se quedara después de la hora de cierre en la barbería pues no le era posible llegar antes. El abuelo se lo cree.

Antonio tiene la audacia de trasnochar. Para eso sí que necesita del ingenio de

133

su madre. Cuando Adela sabe que su hijo está en época de «amoríos culpables», se las compone de esta manera.

Si el abuelo es el primero en levantarse, es también el primero en acostarse y por suerte para los demás, tiene buen sueño. De madrugada, Adela deja su cama sigilosamente, sale del dormitorio conyugal y sin encender la luz, va hasta el cuarto de sus hijos y nietos, a tientas toca la cama del barbero. ¡Ay! ¡Qué bien! Esta noche duerme como un bendito. Pero hay noches que el bendito se halla de parranda. Adela no se inmuta. Se dirige a la cama más cercana donde descansa tito Jaime, mi primo Paco y mi tío Paquito. Sacude lentamente a Jaime que, medio dormido, sin abrir boca (está acostumbrado), se levanta y se tumba en la cama vacía. Vuelve Adela a su cuarto, se mete en su cama, con Pepe que sigue roncando.

Antes de que se despierte, poco antes, Adela vuelve al otro cuarto. Otra vez zarandea a Jaime, quien se vuelve a levantar para regresar a su cama, como un autómata. De nuevo, mi abuela se incorpora al ladito de su Pepe. Poco tiempo después éste se levanta y como de costumbre, inspección general: en un vistazo se percata que falta uno ¡Antonio! Antes de que grite, nuestra estratega, que se encuentra tras él, le dice de la manera más natural y convincente:

—Pobrecito mío, me lo dijo anoche. Qué tempranito se ha levantado hoy. Venían unos cuantos militares a la barbería casi de madrugada. Habrá tenido que salir pitando pues su cama aun está caliente de su cuerpo. No le habrá dado tiempo ni de desayunar.

El abuelo, a pesar de estar convencido de la veracidad de las palabras de su esposa, toca la cama, e instintivamente y pesaroso, replica:

—Es verdad, no hace mucho que se levantó. Pero así son los hombres, tienen que cumplir siempre con sus obligaciones. Y mi Antonio es un hombre de verdad.

Esta conversación entre ambos ha despertado a los demás. Todos están encantados con que el abuelo sea engañado gracias a la ocurrencia talentosa de Adela. ¡Vaya perspicacia la suya, con más salero y gracia! Tal ingenio solo se le puede ocurrir a Adela Lara, una madre de bandera.

Un 14 de julio

La familia veranea en la playa de Fedala. Papá y mi tío Paco Cantero han alquilado una enorme caseta militar y han solicitado la indispensable autorización «prefectoral» para acampar durante dos semanas. Las dos benditas semanas atribuidas anualmente a cada obrero. Las famosas *congés payés*.

¿De cuántos se compone la tribu Ortiz? De unos treinta más o menos.

Hoy es 14 de julio, la Fiesta Nacional Francesa. Fedala entera festeja.

Por la mañana, en la playa ha habido concursos de construcciones de arena: castillos, estatuas, etc. Juegos organizados en la mar y muchas otras cosas más. Por la noche serán los fuegos artificiales, bailes populares en cada plazoleta, espectáculos al aire libre… En el Casino, noche de gala, con orquesta selecta y animaciones diversas.

Nosotros, en nuestra caseta, después del bonito día pasado en la playa, preferimos pasar la noche aquí. Los niños reventados de tanta agua, sol, juegos, después de la cena nos desplomamos en las colchonetas. Los adultos, por parejas se pasean, bordeando la orilla, disfrutando de una breve intimidad amorosa. Otros, sentados en la arena, bajo los rayos de la luna, charlan felices y contentos de estas agradables vacaciones.

Tito Ernesto y tito Carlos, aparte, discuten. Repentinamente, van hacia dentro y salen con jerséis puestos sobre sus pijamas. Ante la sorpresa general, dicen que se van a la ciudad a ver las festividades. Sus esposas respectivas, tita Anita y tita Amanda tratan de disuadirlos. En vano.

De la playa al centro hay un sinfín de bares abiertos, en honor a Mariana, o sea la alegoría de la República Francesa. ¿Cuántas veces los dos compadres han brindado por la bella Mariana? Un montón, se supone. Lo suficiente como para atreverse a entrar al Casino. El portero, como era de prever, les niega la entrada. Mis tíos quieren saber el porqué de esa prohibición.

—No estáis vestidos correctamente. Sólo se admiten los que están de *soirée* (traje de noche).

—¿De *soirée*? Mas de *soirée* que nosotros no lo hay ahí dentro. Si llevamos los pijamas puestos. ¿Es que de día se pone el pijama?

Perplejo, el portero los deja pasar.

Aquí se corta mi narración, Qué no daría yo, hoy en día, por saber lo que ocurrió en ese Casino. Supongo las miradas de los asistentes, la fina canela de Fedala, al ver a esos dos individuos, ataviados tan curiosamente y con más copas que las debidas. ¿Osaron los compinches sacar a bailar a una dama? ¿Se mezclaron a discutir con otros? Preguntas sin respuestas.

Sé que salieron de allí con hambre. Ven no muy lejos una pastelería aún abierta. Se encuentran, también, con un burro sin amo, bajo un árbol. Bien sabido es el amor infinito que le tiene tito Ernesto a los animales. A este le encuentra cara triste y famélica, pobrecito. Unos pastelitos le vendrán bien. Y a tirar del asno. Antes de llegar a la pastelería, pasan por la ferretería de un amigo. Entran los tres. Cuenta mi tío su noche al ferretero que trata de contener su hilaridad, aumentada cuando Ernesto se empeña en comprarle un espejo a su nuevo compañero. El ferretero, la mar de divertido, cuando salen los tres de su tienda, decide cerrarla y seguir, sin ser visto, al original trío.

Están ahora en la repostería. Un dulce para Carlos, uno para el burro y otro para él. Se inflan de pasteles, ante la mirada atónita del pastelero. Nunca ha visto amar tanto a un burro, que lleva encima un espejo colgado al cuello. Desde luego hay que ver para creer. Una vez colmado el apetito, por fin deciden regresar a la caseta, escoltados por el curioso.

¡Bendito curioso! Fue él quien nos contó las peripecias de estos tarambanas.

Al llegar a la playa, ellos que posiblemente deseaban un retorno discreto, tienen que aguantar los rebuznos del invitado. Fueron tan ruidosos, que despertaron a mayores y pequeños. ¡Todos a fuera! Nuestro amigo ferretero tiene la bondad de satisfacer nuestra curiosidad.

Mis dos tíos que no se sostienen en pie, se han acostado, sin quitarse los trajes de *soirée*.

Al corriente de tanto absurdo, la risa nos tira al suelo, a todos, menos a tita Anita y tita Amanda, que no le han visto ni pizca de gracia a esta celebración tan particular de un 14 de julio.

Acabaré el capítulo con unas líneas sobre el burrito. ¡Posiblemente mal atado, se fugó de madrugada, Dios sabe a dónde, con su espejo colgado, espantado de estos humanos tan poco sensatos!

El frigorífico destructor

Por fin tienen los frigoríficos precio accesible para la clase obrera de Casablanca. A comprar frigoríficos todos. Qué alegría llegar a casa, las tardes de verano, y tomarse una bebida fresca, así como una fruta. Por la mañana se acabaron la leche cortada, los restos de la cena agrios. Las amas de casa pueden hacer compras para varios días. ¡Qué bendición de electrodoméstico!

Este frigorífico tan querido se tiene que poner en buen sitio, donde no le dé el calor, ni reciba golpes. Dónde mejor que adornando el comedor. Ahí lo tiene colocado mi tía Anita.

Una tarde llega a su casa tito Pedro. Viene con un aparato dental que le ha hecho un amigo de la familia, el señor Ahich, mecánico dentista. Mi tío lo lleva envuelto en un pañuelo blanco, como oro en paño. Antes de colocárselo se lo quiere enseñar a su mujer, mi tía Adela. Qué perfección de trabajo ha realizado este señor, una auténtica joya. Se lo muestra a tita Anita para que lo admire y luego, con infinito cuidado, lo posa, sobre el frigorífico mientras charla con mis primos y mi hermano Ernestito que se halla en casa de mis tíos. Viene entonces tito Ernesto con cara de pocos amigos. Una discusión empieza entre marido y mujer. Sube el tono. Ernesto, muy disgustado, para desahogarse posiblemente, pega con el puño sobre lo alto del frigorífico. Los chillidos de mi tío Pedro cubren entonces la pelea matrimonial. Casi sollozando, grita:

—Mis dientes, Ernesto, me has roto mis dientes.

Asombrado, y calmado de repente, Ernesto le responde:

—Los dientes… ¿Qué yo te he roto tus dientes? Pedro tú estás loco. ¿Cómo te he roto los dientes, si no te he tocado? Estas sentado en el sofá lejos de mí.

La casa entera se parte de risa, al igual que tía Anita, y toda cólera se ha esfumado. Siguen enfrentados los cuñados. Hasta que se calman los asistentes y explican al «rompe boca» lo del aparato. Efectivamente está estropeada, fue tan fuerte el puñetazo de mi tío que la alhaja del señor Ahich no ha aguantado el porrazo. Desolado tito Ernesto, abraza a Pedro y le pide perdón… Llorando ahora él.

Es que mi tío Ernesto es así; una mezcla de ternura y de violencia. Siempre vence la ternura como esta tarde. Enseguida se van los dos cuñados a ver al señor y amigo Ahich, para enseñarle el aparato maltratado. El médico dentista, por suerte, se lo arregló. Sin cobrarle a tito Pedro.

MOMENTOS HISTÓRICOS

22 de noviembre de 1955.

Regreso al colegio después de numerosos días de «vacaciones». Todos los liceos, institutos, colegios, escuelas, han estado cerrados. ¿Decisión tomada por el Gobierno, temeroso, por el alborozo de todo el pueblo marroquí, que ha celebrado y celebra aún el retorno de su sultán venerado Sidi Mohammed Ben Yusef, exiliado desde 1953, con toda su familia en Madagascar? Tal vez. El país ha festejado, con alegría y devoción este acontecimiento histórico, uno de los más gloriosos de su historia milenaria.

Este 22 de noviembre, me hallo en clase de Matemáticas. ¡La profesora, como si tal cosa, como si volviésemos de unas vacaciones cualquiera, da su curso con una normalidad increíble! Mismo comportamiento alucinante de la profesora de Historia. De Historia. ¡El colmo!

A las diez de la mañana nos acoge en su aula la profesora de Francés Madame Philippe. Nada más ver a todas las alumnas sentadas, nos habla de la importancia de estos últimos días vividos en Marruecos. Importancia para Marruecos y para Francia, su patria. Nos dice cuánto se alegra ella de que, al fin, su patria haya comprendido lo absurdo de la detención del sultán, hombre valiente, tolerante y patriota. Desea y espera, que el proceso para la independencia se acelere. Marruecos tiene que recuperar su libertad, su dignidad, su orgullo. Insiste bastante en el hecho de que numerosos franceses y otros europeos han luchado junto a los marroquíes para poner fin a este protectorado anacrónico y eso desde que finalizó la Segunda Guerra Mundial. Nos comenta que estos hombres estaban fichados por la policía, que los llamaba colaboradores de los resistentes marroquíes que encubrían a los terroristas.

Hoy, 22 de noviembre de 1955, esos colaboradores, resistentes y terroristas, son auténticos liberadores y patriotas, admirados por el pueblo entero. Así se escribe la Historia…

Nuestra profesora añade a estas bellas palabras que una estrecha cooperación debe existir después de la Independencia, entre Francia y Marruecos, para la edificación de una nueva nación moderna y próspera. Ese hermoso discurso ofrecido por nuestra profesora de francés, lo tengo grabado intacto en mi memoria. ¡Valerosa y comprometida Madame Philippe!

LUCHA POR LA INDEPENDENCIA

Desde 1953, el país vive momentos de intensa gravedad, de una importancia capital para su futuro y su historia.

Esa historia que voy a narrar es la vivida por una niña de 12 años. No es la de una periodista o cronista, aún menos de una historiadora. Sin pretensión, cuento esos momentos como los viví con mi familia, en mi barrio, en mi entorno social, influenciada, seguramente por mi padre, tan politizado e implicado.

Durante la Segunda Guerra Mundial, el sultán Mohammed Ben Yusef desarrolla un papel importante al lado de Francia. En contrapartida le pide la independencia total de Marruecos cuando acabe la guerra. Francia accede a esta lógica petición, sin mucha convicción.

Acaba la contienda. El sultán reivindica el cese del Protectorado. Reivindicación denegada. La gran mayoría del pueblo apoya al monarca, jefe político y religioso.

En efecto, el sultán alauita es descendiente en línea directa del Profeta. Es *Amir al Muminin*, es decir Comendador de los Creyentes Musulmanes.

Se instaura, de manera espontánea, un movimiento de lucha para obtener la anhelada libertad, movimiento de resistencia pasiva, controlado y dirigido por un núcleo central, puro y duro. Bastantes europeos cooperan con los resistentes marroquíes. Sé que mi padre está implicado en tal movimiento. ¿Qué papel es el suyo? ¿Tiene algún cargo especial? No lo sé, ni lo supe más tarde. En nuestra casa, Guillermo nos habla de un futuro cercano, donde viviremos, por fin en un Marruecos liberado de la tutela francesa.

En 1953, el sultán es desposeído de su trono. Lo exilian con toda su familia, a Madagascar. La lucha, pasiva hasta ahora, se intensifica. Francia impone un nuevo sultán, que nadie quiere. Para el Protectorado, así como para el nuevo gobierno, estos luchadores, en particular los cabecillas, son tratados de terroristas. En mi casa, mi padre los llama resistentes.

Del 20 de agosto de 1953 al 16 de noviembre de 1954, año crucial, mi vida de niña, adolescente se desarrolla con normalidad. Aparentemente la vida sigue igual, los adultos en sus trabajos, los alumnos en sus colegios. Las Navidades y las demás fiestas se celebran con menos ostentación.

De vez en cuando, alerta general. Paro total de las escuelas, empresas, fábricas… La ciudad se vacía. El silencio la invade. Todo está cerrado. En los colegios, a los niños se les pide marcharse directamente a sus casas. Cuando salgo del mío, en su puerta siempre papá me está esperando. ¿Quién le avisó de la alerta? Los dos regresamos a casa sin entretenernos.

Guardo en mi memoria clichés de esos años, escenas vividas por mí o por mi familia. Clichés, recuerdos de niña, repito.

Un domingo 20 de agosto

Regresamos andando como de costumbre, al final de este domingo, de casa de nuestros amigos los Villalba. En la calle, nos sorprende el vacío. Cosa rara un domingo por la tarde. Están cerrados todos los cafés. De pronto se oyen petardos. Es lo que creemos Ernesto y yo. Mis padres se miran uno al otro inquietos. Papá nos dice que nos apresuremos, no son petardos, son tiroteos. Mi hermano y yo estamos decepcionados. Se nos fueron por la barandilla los pinchitos que teníamos que comer en cualquier café. Llegamos a la plaza de Verdun. Asombrados, vemos cómo la glorieta, atestada de policías y militares, está cortada en dos. Prohibido el paso hacia la Medina. Lindando ese cordón policial se encuentra la casa de los abuelos. ¿Qué habrá pasado? ¿Cómo estarán todos? La inquietud nos embarga. Papá se acerca a los de la autoridad y les pide permiso para cruzar hasta el lado prohibido, para saber de sus padres y demás familia. Permiso otorgado. Mi padre nos deja primero en nuestra casa y sale corriendo a saber de los nuestros. Regresa al poco rato. Todos están bien, todos están juntos.

Por desgracia no sabemos nada de la demás familia que vive más en el interior de la Medina, en el Mellah o Judería, ni de mi prima Mariquita ni de los suyos, que residen en el barrio de la Ferma Blanca, en la rue de la Butte, calle «peligrosa», un bastión de los irreductibles.

El aislamiento se mantiene algunos días. Días larguísimos llenos de angustia e incertidumbre. Los rumores más locos llegan y nos alarman al extremo. Se dice, se asegura, que montones de europeos son masacrados, que sus casas han sido saqueadas...

Por fin una mañana, Casablanca vuelve a ser ciudad abierta. Sin concretar previamente, la familia al completo se reúne en casa de los abuelos. Después de los abrazos emotivos y efusivos todo son preguntas hacia los que estaban en la «ciudad prohibida».

–¿Habéis sido maltratados, insultados, molestados? ¿Os faltaron los víveres?

Mi prima Mariquita es la primera en contarnos su «secuestro». Su marido Manolo, es chófer en las líneas de transportes C.T.M.

El domingo 20 de agosto salió muy temprano, para varios días, dejando en casa a su mujer, a sus dos niñitos y a su suegra, mi tía Antonia. Fuera ya en la calle, no notó nada insólito. Tranquilo, cerró tras él el portón del patio donde habitaban varias familias españolas y marroquíes. Poco después llama al portal un hombre, un marroquí; avisa a todos los vecinos que se apresuren a comprar provisiones, para algunos días. Les dice también que después de esas compras se cierre el portalón y que no se abra para nada, hasta que se les avise. Los tranquiliza o él lo trata por lo menos, asegurándoles que no les ocurrirá nada. Poco tiempo después, las consignas cumplidas, se cierra el patio.

Por la noche empiezan los tiroteos, que se intensifican durante los siguientes días. A pesar de tal situación dramática, todas las mañanas unas manos anónimas lanzan hacia al interior del patio, pan, leche y algunos otros alimentos.

Igual ayuda, tan humana, han tenido mis tíos Canteros, y otros familiares y amigos nuestros.

Una mañana por fin, cesan los tiros. Unos golpes discretos, se oyen en la puerta del patio. Una voz conocida amiga, dice que pueden abrir y salir de la casa. Es lo que hicieron al instante Mariquita, tita Antonia y los dos pequeños. Se fueron a casa de los abuelos.

Nadie en mi familia ha padecido la más mínima violencia, ni les han faltado alimentos.

Centenares de marroquíes murieron durante esos terribles días…

Todo vuelve a una normalidad muy relativa. A veces de súbito por la calle pasa un desconocido en bicicleta, se para unos breves instantes ante un «bacalito», como llamamos aquí la tienda de comestibles. Una señal con la mano y sigue su recorrido. El amo del bacalito manda un ayudante suyo al vecino más cercano: hay que abastecerse para un par de días o más ¿Quién lo sabe? El tal vecino, rápido, les comunica a otros el encargo. En poco rato toda la calle está en la tienda, comprando.

Y sigue la vida.

LAS BOMBAS EN EL MARCHÉ CENTRAL
Y EN EL CAFÉ MERS SULTÁN

24 de diciembre, media mañana. Mamá y Ernesto están de compras. Esta noche es Navidad. Yo estoy en casa, preparando el almuerzo, un puchero. Sé que mi madre tiene que ir al Marché Central, por charcutería, frutos secos y mariscos. A punto de entrar a ese mercado mi hermano, harto de tanto andar, empieza a refunfuñar y a quejarse: le duelen los pies, seguro que los zapatos le han hecho sobaduras, no puede seguir más. Para no oírlo, mamá ya dentro de la plaza, da media vuelta, seguida por el niño. Volverá esta tarde sola, a finalizar sus compras. Llegan a la rue de l'Allier.

En el Marché Central estalla una bomba. Media hora después de que mamá y Ernesto salieran de allí. De allí donde hubo tantos muertos y heridos. ¡Qué horror!

*   *   *

En la glorieta Mers Sultán, en pleno centro de Casablanca, dos cafés frente a frente, rivales, el Concorde y el Mers Sultán. En los dos se sirven suculentos pinchitos y *kemias* variadas; hay que hacer cola en uno u otro para encontrar sitio, en particular los sábados y domingos.

Un domingo otra vez el horror es protagonista en la ciudad. Otra bomba estalla: en el café Mers Sultán. Otra vez numerosas víctimas y heridos graves.

¡Qué pena!

*   *   *

He narrado algunos *flashes* de esa época crucial en el país. Por otra parte, lo repito, la vida se desarrolla, digamos con normalidad. Seguimos comprando en el *marché* de la Puerta de Marrakech, vamos a casa de mis tíos, en los barrios Bourgogne, Ferma Blanca, en el Mellah… Los cafés y los cines siguen llenos, pero se acabaron las vacaciones en la playa, las Navidades de puertas abiertas, los picnics fuera de la ciudad…

Nada fácil lo tienen los europeos que residen en la Nueva Medina. Peor lo pasan en esa barriada los marroquíes. De algo me entero cuando hablan, entre ellos, mi padre con mis tíos y algunos amigos. Cojo palabras como «detenciones masivas», «atentados», «muertos». Días sombríos para los combatientes rebeldes, llamados hoy terroristas, mañana Héroes Nacionales.

La Independencia

El rumor circula, nuestro sultán pronto será liberado. El rumor es ahora certeza. El 16 de noviembre de 1955, Mohammed Ben Yusef, exiliado, arrancado de la tierra de sus antepasados, vuelve de su destierro de Madagascar, con toda su familia.

Nunca he visto, ni veré, mayor alegría, alborozo, entusiasmo en Casablanca, en tantísimas caras. El contento se apodera de toda la capital. Música por todas partes. Brotan sin cesar los *«Yahya el Malik»* o sea «Viva el Rey» así como los «yuyu» estrepitosos y vibrantes lanzados por las mujeres, mañanas y noches. Noches en que nadie durmió. En mi memoria sólo guardo recuerdos de rostros alegres, ninguna cara con odio o rabia. O no quise ni supe verla.

El 18 de noviembre, nuestra casa de la rue de l'Allier se hace pequeña, para acoger tal cantidad de amigos de mi padre. Se han citado aquí, mis tíos, algunos amigos europeos y muchos marroquíes. Van a celebrar este momento histórico en la Nueva Medina.

¿El destino, la providencia? Entre los numerosos compañeros de papá se halla un joven guapo, moreno, con unos ojos verdes maravillosos, los más bellos que he visto en mi vida. Se llama Antonio Moreno Moreno. La adolescente que soy lo mira fascinada. Este viejo joven, de veinte y pico de años, tiene una mirada llena de dulzura y diría yo de bondad. Cuando sonríe se le ilumina la cara. ¡Vaya muchacho más apuesto! ¡Quién me iba a decir, esa tarde, que Antonio Moreno, de ojos verde aceituna, sería unos años más tarde mi marido! ¡Bonito azar!

Pero volvamos al grupo bullicioso y heterogéneo, excitado y contento que rodea a Guillermo. ¿A quién esperan para marcharse? Trato con dificultad de acercarme a mi padre, cuando lo hago, le digo mi deseo de unirme a ellos. Petición rehusada, muy a su pesar, dice: «Las mujeres, y menos las niñas, no pueden ir hoy allí, solo los hombres». ¿Y Ernesto? ¡Vaya hombre este con solo once años! ¡Para un padre pregonando la igualdad de sexos! ¡Qué asco! ¡Qué traición! Mi hermano que no entiende nada de nada de política va a asistir a esos momentos históricos, y yo, tan empapada de todo, a quedarme en casa con mi madre.

Mi rabieta se pasa súbitamente. Se ha parado delante de nuestra puerta un cochazo de película, lo conduce un amigo de mi padre, el gran Mustapha. Eso de grande es por su estatura de gigantón. No me lo puedo creer, el gran Mustapha, con un automóvil así. Pero por muy cochazo que sea no hay cabida para todos.

Después de un acuerdo general, se forman varios grupos, encabezados por camaradas marroquíes, que tienen que reunirse en un lugar preciso de las *Carrières Centrales*. ¡Las *Carrières Centrales!* ¡El ojo del ciclón de los combates más terribles! ¡Qué pena que no pueda ir yo! Tendré que esperar esta noche, el regreso de los míos, para que me cuenten detalladamente todo. Sí, todo, y así se hizo.

Llegados los grupos al lugar previsto, tarea difícil, pues tienen que atravesar una marea humana, se deja el coche para seguir, lo mas unidos posible, a pie. Mustapha el grande dirige las operaciones. (Después supe que durante la lucha por la Independencia desempeñó un cargo muy importante.) Por ahora, lo más importante es no descomponer el grupo. Nuestro líder coge a Ernesto en sus hombros, por dos motivos, uno: esa «prolongación» puesta sobre Mustapha lo convierte en un Titán que sus compañeros no pueden dejar de ver.

Las *Carrières Centrales,* estos últimos años siniestras, hoy visten galas de fiesta, como se debe para celebrar el regreso de su rey bien amado. Los suelos de las calles están cubiertos de alfombras prestadas con espontaneidad por vecinos. Banderolas, guirnaldas, retratos del sultán solo, o con la familia real, adornan muros y puertas, así como las banderas marroquíes que flotan alegremente por todas partes. Altavoces por doquier emiten música árabe y discursos solemnes. Numerosas calles han sido convertidas en salones con banquetas y mesitas repletas de pastas, almendras, nueces, dátiles secos y por supuesto las imprescindibles teteras con el oloroso té con hierbabuena. Todos esos salones están repletos de personas la mar de satisfechas. El buen humor y la emoción reinan hasta en el último rincón. Por fin nuestros protagonistas están sentados en una salita, escuchando discursos pronunciados por los asistentes, algunos con lágrimas en los ojos que hacen llorar a los demás. Al final de cada alocución una lluvia de aplausos se oye acompañada de *«Yahya el Malik»*, vibrante y apasionada.

Entre tanta multitud, pocos europeos. Nuestro grupo dice no haber visto ni uno, salvo los militares franceses, armados, vigilando desde cada terraza. Vigilando un eventual disturbio. No lo hubo. Ninguna nube obscureció ese día inolvidable, épico para mi hermano y todos los míos, que tuvieron el inmenso privilegio de vivir momentos históricos con tanta intensidad.

Ni mamá ni yo, tuvimos ese privilegio. Cuando nos quedamos solas, la cólera me enfurece, voy a explotar. Le propongo a mi madre que vayamos a casa de mi tía Carmela a pasar la tarde con mis primos. Mamá por complacerme acepta.

Mis tíos viven en el Mellah, la judería de la Antigua Medina. De la rue de l'Allier a la plaza de Verdun, desierto total. Nada más entrar en la Medina un espectáculo asombroso, fantástico y repentino nos acoge. Al igual que en las *Carrières Centrales,* y como en toda la ciudad, banderolas, guirnaldas, retratos del Monarca, banderas marroquíes, altavoces adornan las calles y las alegran. Aquí también se han montado espontáneamente salones con los suelos cubiertos de alfombras, banquetas y mesas llenas de frutos secos y vasos para el té con hierbabuena. Nada más pasar por la entrada del primer salón, un señor muy sonriente, nos invita a entrar. Los invitados ya ahí, hacen hueco para que nos sentemos. Se nos ofrece un vasito de té, frutos secos y pastas… La música que se emitía por un altavoz cesa para dar paso a un discurso patriótico. Cuando acaba, la sala entera aplaude con calor. Mi madre y yo aplaudimos también, sin habernos enterado de nada. ¡Ni de una sola palabra!

Qué pena, vivir en Marruecos, ir al colegio y que el idioma del país no nos haya sido enseñado. Vergonzoso y lamentable. Eso sí, mi voz se une a las otras para lanzar fuerte y con fervor los *«Yahya el Malik»*. Mi madre no se atreve. Después de pasar un buen rato, en tan acogedor lugar, intentamos marcharnos, pero otro discurso se inicia y no tenemos más remedio que esperar. En una pausa más larga, podemos levantarnos. Todos los asistentes nos agradecen nuestra presencia y hasta se nos aplaude. Nada más afuera, el señor del salón contiguo nos invita a entrar. Repetición de la jugada.

Nos hacemos todas las salas de recepción del lado derecho de la calle. Cuando vemos la hora, nos damos cuenta de que es tarde para visitar a la familia. Damos la media vuelta pero no tenemos más remedio que honrar con nuestra presencia todos los salones que lindan el lado izquierdo de la calle. En nuestra vida, pasada y por llegar, ni mamá ni yo beberemos tal cantidad de té con hierbabuena. Llegamos a casa la mar de excitadas de tanto té y de tanta emoción. Los hombres aún no están aquí. Como ni mamá ni yo tenemos sueño, juntas en la cama de matrimonio, charlamos comentando los miles de detalles de esta extraordinaria e inolvidable salida.

No pudimos ver a tita Carmela ni a mis primos Qué importa, «hay más días que ollas», como dice abuela Adela. Pero el privilegio que tuvimos de pasar esas horas inolvidables e irrepetibles de este 18 de noviembre de 1955, no tiene precio.

Nos dimos cuenta entonces de un detalle de suma importancia: No vimos europeos en los festejos. Ni uno. Ellos se lo perdieron.

Antonio Moreno

Epílogo de la primera parte

Concluyo aquí la primera parte de recuerdos de mi infancia. Recuerdos que me he atrevido a transcribir. Recuerdos tantas veces contados a los míos.

Los míos me han sugerido, una y otra vez, que los escriba. A mis sesenta años me he decidido, he tenido esa pretensión y audacia. Entonces me he dado cuenta de que es mucho más fácil contar anécdotas y acontecimientos vividos, oralmente que plasmarlos en un cuaderno. Están escritos tal como surgían de mi memoria. Sin embargo, es voluntad mía querer narrar, para el final, el hecho que marcó tanto mi infancia y el inicio de mi adolescencia: La Independencia de Marruecos, este país que considero mío.

Esa Independencia fue una fase importantísima en la vida de todos los europeos residiendo aquí. Cada cual la vivió como estuvo preparado para vivirla. Mi padre nos preparó como se debía, a su manera.

Mi padre, tan presente en estas páginas, hubiera podido escribir lo que yo escribo. Lo hubiera escrito mucho mejor. Tenía el don de la palabra y el de la escritura. Le faltó tiempo. Maldita vida que le asignó de ese tiempo tan poco. Se le quedaron por hacer infinidad de cosas bellas.

No acabó de transmitirnos las muchísimas riquezas que quedaban en él. ¡Qué pérdida para mis cuatro nietos! ¡Qué capital humano y cultural les hubiera ofrecido! Cuanto más pasan los años, más consciente soy del privilegio inmenso y de la suerte espléndida que me fueron dados por vivir cerca de este hombre que irradiaba amor, bondad, humanidad, sabiduría, sensatez, valentía, humor y humildad.

Él, solo él, Guillermo, me ha enseñado a amar la vida, en sus mínimos e infinitos rincones y detalles. Me ha enseñado a querer, a sentir, a reír, a llorar, a conmoverme. A amar.

¡Querido, queridísimo papá!

Casablanca, 22 de septiembre de 2001

SEGUNDA PARTE

Souvenir
de mon
Collège.

A une copine vraiment chic
~~Actuelle S.~~

N° 16

A une gentille camarade de Rosalie G.
En souvenir d'une camarade de 3M/2 Petro B.

Affectueusement à une camarade
qui parfois ma fait rire en
gym. ~~Andrée~~

A Margot avec mon plus affectueux
souvenir, et en lui souhaitant la
réalisation de ses projets.
                bien sincèrement.
                    Paulette.

Je garde un très bon souvenir
de la petite Margot de 3ième II
        une autre Marguerite.

A Margot
bien amicalement
        Luce.

Bien affectueuse-
ment à une "chie"
fille en souvenir des
rigolades en "gym"
            Hélène

        M. Lainy

154

EL COLEGIO MERS SULTÁN

Otro problemita me ha caído. ¡Qué racha! No paro, vaya lluvia de contrarie-dades o más bien, vaya diluvio. No son asuntos graves pero sí fastidiosos, que me acaparan un montón. Resuelvo uno y surge otro. Esto es el cuento de nunca acabar.

El último es la monda. La Oficina Nacional de Electricidad, o sea la O.N.E, le ha enviado a mi marido un recuento de facturas de estos tres últimos años no pagadas del *Cabanón*. ¡Ni las cuentas del Gran Capitán! A mi marido, al ver la suma, por poco le da un patatús. Y a mi otro. Después, más calmados, discutimos sobre la orden que le dimos al banco para que nuestras facturas enviadas por la O.N.E. fueran cargadas, automáticamente, en su cuenta corriente. Voy a uno de los cajones donde guardo los papeles archivados. Aquí están los del *Cabanón*. Francamente, sin falsa molestia, soy una mujer superorganizada. Saco los extrac-tos bancarios de los años en cuestión donde aparecen las transferencias hechas a favor de la O.N.E. Salto de alegría. *Ilico presto,* me voy pitando para dicha oficina. Menuda bronca le voy a echar.

Llegada cerca del edificio O.N.E. busco sitio para aparcar mi cochecito. Entro en el despacho «Contenciones», el espíritu bastante bélico y con ganas de pelotera. Me recibe un señor con cara de buena persona, que me acoge con una sonrisa y me da la bienvenida (en árabe, *marhaba),* como es costumbre en Marruecos. Se me caen los palos del tinglado. Toda mi agresividad se esfuma. Desarmada, casi culpable ahora, le explico a este buen hombre la razón de mi visita. El buen hombre, siempre tan atento, me propone que verifiquemos juntos sus facturas y mis transferencias, una por una. Mi buena fe sale triunfadora. ¿Qué ha pasado entonces?

«Ha sido seguramente un error de un ordenador», concluye mi interlocutor. Pobres ordenadores que siempre pagan el pato. Como no pueden hablar para defenderse… Les pasa como a los desdichados nervios. Si sufres de jaquecas, gastritis, estreñimiento, dolores de espalda, cansancio crónico… cuando consul-tas un doctor, se le cae el bolígrafo de la mano, cansado de haber escrito tantas prescripciones de exámenes que deberás hacer. Hechos los exámenes, salen todos negativos. El médico sin inmutarse, la mar de tranquilo da su veredicto final y dirá firme y seguro: «Usted padece de los nervios». Asunto concluido para él. ¿De los nervios?, si estoy más *zen* que el propio Dalai Lama, le contestarás.

Pero nuestro terapeuta, como dio por acabada la consulta, sin haberte escuchado, abre la puerta para que entre otro pobre enfermo.

Pues en todas las oficinas, hoy en día, no hay ni un solo empleado incompetente. Si una equivocación surge, siempre, es por la culpa de un maldito ordenador.

Volvamos a mi amable señor. Me confiesa su *mea culpa*, o mejor dicho la de su ordenador, me entrega mi factura, sellada en rojo con un precioso «PAGADO». Se confunde en mil excusas, se dice encantado de haberme conocido y me despide con un «hasta la próxima». Le tendrá, el pobre, confianza a sus ordenadores… Salgo de la O.N.E. satisfecha. Otro problema resuelto.

Con pasos alegres, voy en busca de mi coche, un Fiat Uno, rojo. No me había dado cuenta de que lo aparqué aquí. «Aquí» es decir delante del Colegio Mers Sultán.

Tres adolecentes se lo han acaparado, una subida sobre el capo y dos sentadas en la acera, sus espaldas apoyadas contra una puerta. Están charlando y comiendo pipas. Al verme sacar la llave para abrir el automóvil, las tres juntas pegan un salto y acharadas me piden disculpas. Sonriendo les contesto que no pasa nada. Una de ellas, diría yo, guasona o admirativa, me dice:

—Hay que ver lo que le gusta a usted el rojo. Lleva chaqueta roja, collar rojo, zapatos rojos y hasta el coche está pintado de rojo. Además, que todo sea dicho, ese color le sienta muy bien.

La niña me lo dice con tanto salero que irrumpimos las cuatro en carcajadas.

De pronto una intensa emoción me embarga, la nostalgia me empapa toda. Las tres adolescentes, sorprendidas, quieren saber el porqué de mi turbación. Con un nudo en la garganta, les revelo mis pensamientos.

He dado un salto atrás, en mí pasado de más de cuarenta años.

Perplejas, exclaman las tres juntas: «¿Su pasado?». Bendita y curiosa juventud. No sabe, no quiere o no puede imaginar que una persona mayor, como yo, tenga un pasado, que haya sido joven y en particular adolescente, como ellas. Igual rechaza también el mañana.

No quiere, esa juventud, plantearse el futuro lejano. ¡Llena tanto el presente! Intrigadas, me piden que les hable de ese pasado tan lejano que ha resurgido en mí. Lo estoy deseando. Las imágenes del ayer desfilan con una claridad asombrosa, casi palpable, mágica.

Yo Margarita Ortiz, soy alumna en el colegio Mers Sultán. Acaban los cursos de la tarde. Salgo con un grupo de amigas. Todas llevamos babi beige, vestimenta impuesta por el reglamento. Mis ojos buscan con anhelo otros fuera. Difícil de encontrarlos, entre tanto gentío. Mi corazón se acelera. ¿Ahí están? Ellos también tratan de sacarme de la piña formada por las jóvenes. Ya nos vimos mutuamente. Nuestros cuerpos se acercan el uno al otro, un beso se posa, ligeramente sobre mi mejilla. Siento que me ruborizo, temerosa. Ojalá ninguna profesora haya asistido a esa pequeña pero prohibida efusión. *Ipso facto* se lo notificaría a Madame la vigilante general, que a su vez me convocaría a su despacho para censurar mi comportamiento irrespetuoso y desvergonzado delante de la puerta del mismísimo colegio.

Por aquel entonces cualquiera se saltaba a la torera los principios morales vigentes. Eso de «los enamorados que se besuquean en los jardines públicos» que Georges Brassens, cantautor, vanguardista y anarquista, glorifica, es en Francia. No en Casablanca. Aquí, se es más puritano ¿Por qué? ¡Vaya usted a saber!

Mi compañero me envuelve con una mirada larga, intensa, donde leo tantas cosas bonitas y sobre todo tanto amor. Sí, estamos muy enamorados el uno del otro. Como se enamoran dos jóvenes a esa edad... Cogidos de la mano, nos alejamos de aquí, paseando y contándonos nuestra cosas. Miles de cosas que hemos vivido cada uno desde ayer. Qué suerte tan bella es estar en estos momentos juntos, sentir el contacto de sus dedos, el calor que penetra en mí, despacito, hasta llegar a mi corazón que palpita entonces alocadamente. Sus latidos son tan fuertes que tengo que poner mis manos sobre él para apaciguarlo.

Ese gesto que hice entonces, lo repito en esos instantes. Sobrecogida, me callo. He vuelto al presente. Aturdida, confusa, me siento desorientada. Mira que haber contado cosas tan íntimas y personales a estas tres jovencitas que no conocía una hora antes... Pero mi relato ha interesado bastante. A pesar de sus aires desenvueltos, tan modernos, las muchachitas de hoy son como las de ayer: terriblemente románticas. Me suplican que siga contando. ¿Quién era mi enamorado?

Y sigo contando. Mi enamorado era un guapo moreno de ojos verde aceituna. ¡Ay, esos ojos! Chispeados de oro, brillaban de dulzura, de bondad, de generosidad y en esos momentos de amor. Para mí.

Era Antonio Moreno.

Mi Antonio de entonces y el de ahora. Cuarenta y cinco años han pasado. Y esos ojos verde aceituna chispeados de dulzura, de bondad, de generosidad y del mismo amor por mí que siento yo por él, igual de intenso y de bonito.

Mis tres oyentes, que han seguido mi relato embobadas, tienen los ojos empañados por la emoción.

Las dejo con un:

—Queridas amiguitas, ya sabéis cómo en vuestro colegio, hace muchos años una jovencita como vosotras, estudiaba estando locamente enamorada de un guapo moreno al que sigue queriendo. Os deseo, a las tres que aprobéis los estudios y sobre todo que encontréis un amor como el que vivimos mi marido y yo. Tal vez nos volvamos a encontrar, *incha Allah*.

*   *   *

El colegio Mers Sultán es mi baúl de los recuerdos. Algunos malos se esfumaron, no quisieron guardarse. ¿Eran muchos? No lo sé. Los buenos se colaron, eran numerosos. Ahí siguen. ¿Será por eso de la edad, casi la vejez, que están siempre dispuestos a escaparse del cofre para recordarme imágenes tan lejanas pero tan bonitas?

Tal vez… Después de la escuela primaria, me envían al colegio Mers Sultán.

Casablanca, por entonces, presume de dos institutos secundarios buenísimos, el Liceo de Jovencitas y el Colegio Mers Sultán, de chicas igualmente. La «mixticidad» no existe por entonces.

Mi colegio está implantado sobre cuatro calles, tres pequeñas y un bulevar, el Mers Sultán, que va hasta el palacio del sultán (de ahí su nombre). Nada más entrar, a su izquierda se halla el internado para las jóvenes que no residen en la ciudad. A la derecha se encuentran las oficinas administrativas con el temible despacho de nuestra Madame la Directora. Por el centro, se accede al patio grande, con muchos árboles, la mayoría falsos pimenteros, y macizos de flores. Adosadas sobre las tres fachadas restantes se alzan las clases de estudios, sobre tres pisos. En medio del patio, se erige un edificio de construcción diferente, vestigio de lo que fue en su inicio el colegio, anacrónico pero muy bello. Rodeado de flores diversas donde abundan los rosales trepadores que al iniciar la primavera, atrevidos asaltan las paredes y se escabullen hasta las clases. Sus rosas blancas, marfil, rojas, nos ofrecen sus perfumes sutiles o embriagadores en los días calurosos. Perfume guardado intacto en mi memoria olfativa. Mi viejo edificio encantador tiene, en su interior escaleras de maderas, gastadas por los miles de pasos que sostuvieron, que exhalan el olor dulzón que le proporciona un encerado continuo. Los escalones gimen, fatigados, bajo las pisadas alegres de las alumnas. Gemidos guardados, también, en mi memoria.

Fue en una de esas salas en la que Madame Philippe, nuestra profesora de francés, comunicó a unas estudiantes ajenas o indiferentes que Marruecos por fin era una nación independiente. Vislumbro, aún, esa media mañana otoñal con fragmentos veraniegos que le permitían a las últimas y por tanto las más bellas rosas del año asomarse por la ventana abierta de Madame Philippe anunciando ese hecho histórico tan solemne.

ME BAJA EL CUERPO

Estamos en el gimnasio del colegio. ¡Qué inmenso es! Repleto de instrumentos, aparatos y enseres para múltiples deportes. Cinco o seis clases diferentes están practicando Educación Física como decimos aquí. Las chicas visten obligatoriamente *shorts* y zapatos deportivos. Un grupo aparte no participa, compuesto por alumnas que no están en estado de hacer esfuerzo: ¡Tienen la regla! Para eso necesitan una dispensa: una cartita firmada por los padres pidiendo permiso a la profesora, para autorizar a la hija a no hacer gimnasia, siempre con el mismo pretexto: «¡Está indispuesta!».

Como a mí ningún deporte me gusta, yo estoy «indispuesta», es decir tengo la regla, o como decimos aquí «me ha bajado el cuerpo», casi para todos los cursos de Educación Física. Lo más curioso del caso es que ninguna profesora de Deporte haya notado que Margarita Ortiz tuviera el cuerpo por los suelos durante casi todo el año escolar. Ni le va ni le viene. Una chica menos a quién vigilar. Esa sala de gimnasia, por cierto, es poco frecuentada, solamente los días de lluvia, y lluvia nos hay muy a menudo en Casablanca. Las otras veces salimos fuera del colegio, varias clases juntas también, cada una vigilada por su instructora, en fila casi militar hasta llegar a un terreno deportivo perteneciente a nuestro instituto.

A un lado de ese parque de gimnasia se halla una primorosa villita. Desprende romanticismo, quietud, elegancia, calor. Y qué jardín, pequeño, pero siempre tan cuidado, por manos de mujer imagino yo, tan coqueto. Se dice, pero nadie lo asegura, que ahí vive Madame la Directora con su esposo. Nuestra directora, tan severa, tan seca, en esa casa tan alegre... Las alumnas que estamos «indispuestas» nos pasamos la hora fabulando, mirando las ventanas en el primer piso, que serán las de dormitorios. ¿En uno de ellos, que hará nuestra rarísima pareja? Cosas picarescas... Esas conversaciones que mantenemos sobre la vida sexual nocturna de la Principal nos turban y excitan.

Esos encuentros «eróticos» imaginados por nosotras entonces, parecerían pueriles e ingenuos a la juventud de ahora. Anda que no están bien informados los adolescentes de hoy en día. Como decía mi abuela, saben más que los ratones colorados. Con la educación sexual dada en el colegio y los programas televisivos que ven ¡cómo no saber!

¡Mira que nosotras, por entonces, éramos pazguatas e ignorantes! Otros tiempos, otros conceptos. No voy a disertar sobre el tema, vuelvo al de la regla. Esta tiene repercusión no sólo en los cursos de Gimnasia sino también en todos los demás. Si en clase de cualquier materia, una de nosotras levanta el dedo para pedir permiso para ir a la enfermería, petición otorgada. Casi con cara de culpabilidad confesará que está «indispuesta», pues la palabra «regla» es tabú.

En la enfermería habrá otras «indispuestas» y otras con jaquecas o fatigas (náuseas como se dice ahora). Para todas, el único medicamento, el «curalotodo» como lo llamamos: un azúcar empapado en jarabe de menta. Si el dolor persiste, y persiste siempre, llorosas suplicamos para que nos den una aspirina, la enfermera, muy compasiva, contesta: «Cuánto lo siento, me lo impide el reglamento. Únicamente le puedo dar... ¡otro azúcar empapado en menta!». Excepcionalmente si la asistenta siente que el dolor es muy fuerte y que la chica se encuentra verdaderamente mal, entonces avisa a la dirección, que a su vez avisa a un familiar de la «indispuesta», por teléfono, si es que lo tiene.

Cuántas veces llaman al taller donde trabaja mi padre. El pobre sale corriendo para mi colegio. Ahogado por la carrera y con cara inquieta, me besa con cariño. No me pregunta nada. Sabe que todos los meses, lo paso mal, el primer día, de «bajarme el cuerpo». Sin hablar, nos marchamos rápidamente para casa. A veces, unos espasmos violentos me obligan a pararme.

Mamá ve entrar por la puerta una llorosa Magdalena, seguida de san Guillermo, que, nada más llegar, se tumba en la cama, sollozando y lamentándose. Mi madre a su vez me prepara su remedio milagroso recomendado por vecinas judías: azafrán macerado en *mahia,* o sea aguardiente judío hecho con higos. El brebaje es eficaz, al poco rato caigo en los brazos de Morfeo, sin darme cuenta. ¿Será el azafrán y la *mahia*? ¡Vaya usted a saber!

El tema de mi regla es sabido y comentado por todas las mujeres de mi familia. Me compadecen un montón. Con la unanimidad de mis tías y primas todas me aseguran que esos horribles dolores cesarán cuando me case, o sea cuando deje de ser virgen. Sin entrar en más detalles, claro está. ¡Cuántas veces maldigo mi detestada virginidad! ¡Seguro que estos dolores no son menos que los de parto! El no va más, decía yo entonces. ¡Ay, qué ingenua era! Mucho tiempo más tarde sí que me he enfrentado a auténticos sufrimientos: me han operado veintitantas veces.

Bueno, tampoco esto viene a cuento ahora. Prefiero regresar a mi colegio. Vamos para allá.

Voy a sacar del baúl un maravilloso recuerdo, el más bonito tal vez.

Las compañeras del colegio Mers Sultán.
Margarita en primera fila, la cuarta por la izquierda

Última semana del primer trimestre de mi primer año en el colegio. El repique de la campana anuncia el final del recreo. Ni mis amigas ni yo nos hemos dado cuenta, tan metidas en nuestra charla. Qué cotorras somos. Mas el súbito silencio que nos envuelve, nos corta el habla. Con espanto nos vemos solas en el inmenso patio. Como gorriones, cada una volando va para su clase. Los latidos de mi corazón se tienen que oír a mil leguas. Asustada entro en la sala después de haber pegado tímidamente a la puerta. Es la primera vez que me ocurre tal situación y no sé cuáles serán las consecuencias. Con humildad, me excuso ante la profesora. Esta, muy sonriente, me dice que tengo que ir ahora mismo al despacho de Madame la Directora. Atónita, boquiabierta, me dirijo hacia su despacho. ¡Por unos minutos de retraso! ¡Estas gentes están locas! ¡Peor que lo que se cuenta de los conventos de monjas! La otra, siempre sonriendo, me aconseja que me aligere. Salgo pitando hacia la deshonra: el «Consejo de disciplina» me será anunciado. ¡Solo después de un trimestre! A mi padre le va a dar algo. Con lo orgulloso que está el pobre de mí. Soy la primera de la familia Ortiz en haber ingresado en un colegio superior. Y qué poquito tiempo habré pasado en él. Mi madre despiadada me dirá: «Te lo dije miles de veces, ese vicio tuyo de charlatana te causará tu ruina». Tenías razón, Esperanza.

Mis últimos pasos, estos lentos pues llevo el peso del mundo sobre mis frágiles hombros, como el pobre Atlas (estamos en plena mitología, en Francés y en Historia), me llevan ante la puerta de mi Pilatos, tal Cristo para ser juzgada en el Pretorio. Sorprendida, constato que no están ahí mis compañeras de tertulia, pero si un grupo de chicas de edades diversas, aparentemente muy contentas y, me parece a mí, hasta alegres. Qué raro. O están locas o acostumbradas a estas sanciones. Prefiero no juntarme con ellas.

Lo juro, se acabó, no voy a hablar más por los codos. Seré muda como una carpa, sí, ese pez de ríos. En mi vida he visto carpas. En casa sólo comemos pescado de mar, de preferencia del Atlántico. Por asociación de ideas me viene a la memoria el libro de Héctor Mallot *En familia*. A uno de sus personajes lo llamaban «la Carpa», por lo poquísimo que se le escuchaba. También se habla de carpas en otras de mis lecturas preferidas *El amigo Fritz* de Erkman-Chatrian. Fritz se pirraba por las carpas, que le preparaba su cocinera, rellenas.

Increíble. Soy un caso perdido. No tengo remedio. Si estoy charlando conmigo misma… ¡Y de carpas! Que me importarán esos peces en un momento tan crucial de mi vida. ¡Ay, Margarita Ortiz! ¡Qué pena! ¡Aquí se acabarán tus estudios!

Se abre la puesta de Poncio Pilatos, alias Madame la Directora, acompañada por la subdirectora y la vigilante principal, las tres con unas caras de contento. Como si les hubiera tocado la lotería de Navidad. ¡Qué vergüenza! ¡Qué asco! ¡Qué mezquindad! ¡Qué sadismo! ¡Qué falta de comprensión!

En un silencio total, coge la palabra Madame la Directora, la Principal, como se le llama hoy en día. Empieza su discursito. Ni lo oigo. Las otras escuchan muy atentas con caras embobadas de tontas.

Sin quererlo, palabras de enhorabuena llegan a mí, escurriéndose entre el espesor de las nubes que encierran mi cerebro. Creo que han empezado a impartir los premios de honor que se otorgan a las más merecedoras de cada clase. Después vendrán las sanciones… Se ha empezado por las clases superiores. Me queda para rato…

Ahora le toca a la clase de sexto.

Nombra la sexta 10 donde yo estoy. Curiosa, la mente completamente despejada, quiero saber quién va a ser la feliz premiada. Y oigo: «Clase de sexta 10. Inscrita en el Tablón de Honor: (no sé cómo se dirá en castellano) Marguerite Ortiz». Se aplaude. Yo también, incrédula, escéptica. ¡No puedo ser yo! La Principal se ha equivocado de papel.

La Directora, ahora acaba con un discursito sobre el trabajo, la disciplina, la constancia… luego nos ruega muy amablemente, volver a nuestras clases.

Desconcertada entro a la mía. Aquí la felicidad me asalta. Todas mis compañeras así como la profesora, me reciben levantadas, con un *«Felicitation, Marguerite»*. ¡Qué bonito! ¡Qué bonito! ¡Qué bonito!

Lloro de emoción. Estoy embriagada de dicha. ¡Pronto, que se acabe el curso! Con qué alegría y orgullo le voy a anunciar a mis padres que estoy inscrita en el Tablón de Honor. ¡Qué feliz soy! ¡Qué bella es la vida! ¡Cuánto quiero a mi colegio!

Carnet sindical de Guillermo Ortiz Lara, grabador

CALLE SARAH BERNHARDT

Han pasado algunos años, hay por entonces menos escasez de pisos.

No vivo más en la mini casa del patio de la rue de l'Allier. Nos mudamos por fin, como dice mamá. Cerca de la plaza de Verdun, ¡como no! Me gusta el cambio. Bueno a mí, a mis padres y a Ernesto. Hasta el nombre de la calle es bonito: Sarah Bernhardt, la célebre e inolvidable actriz trágica, del final del siglo XIX. Es que a mí me apasiona el teatro. Me veo muy bien en un escenario interpretando un drama. Mamá me llama a veces Margarita Xirgu, otra gran trágica muy famosa. Aparte de mi madre, nadie ha oído hablar de mi tocaya.

Es abuela Adela quien nos encontró este nuevo apartamento. Llevaba meses detrás de la señora que lo habitaba para que se lo dejara a mis padres y por un traspaso de llaves no muy excesivo. Nos cedió por fin el piso, en un precioso día de mayo de 1956, por una suma de dinero más que excesiva (según mis padres).

Cuando tomamos posesión de él, un tercer piso, vacío, tan grande, inundado de sol, nos creemos en el mismo cielo. Todos sus cuartos dan hacia el exterior, sea la calle o bien el patio interior del inmueble, la cocina, la sala de baño o el dormitorio de mis padres. Fenomenal para charlar con mis nuevas vecinas, mientras guiso o friego los platos. Me encanta. A mi madre no. Ha salido hasta los pelos de la promiscuidad de la rue de l'Allier y prefiere evitar todo roce con la vecindad. Allá ella. Incluso tenemos un balcón. ¡Qué maravilla sentarse en él, bajo la luz de la luna y de las estrellas, las noches de verano!

Pero... Pues sí, hay un «pero». Nuestro nuevo hogar, antesala del paraíso, tiene un hueso infernal «inroíble» dice mi padre. Da la fatalidad que bajo nuestro querido balcón, en la acera de la calle, están colocadas las mesitas y sillas de un dichoso café, el Saratoga. Su amo por desgracia adora la música. Pero a «to meter». Por los altavoces irrumpen, estallan, ensordecen los sonidos de esa antimúsica que nos proporciona nuestro tabernero.

Guillermo recoge firmas de toda la vecindad para una petición que lleva a la prefectura. Esta obliga a nuestro melómano a reducir el volumen de sus melodías estruendosas. ¡Qué felicidad!, por fin podemos disfrutar de la calma nocturna el verano restante.

En la terraza de la rue Sarah Bernhardt

Llega la primavera siguiente. Una noche calurosa, de nuevo, la sonoridad tre-menda «musical» de abajo nos sobresalta. Papá prepara una nueva petición, fir-mada por los desgraciados oyentes, admitida y sellada por las autoridades que obligan al amo del café a reducir los decibelios musicales.

Esa orden municipal se la salta a la torera poco tiempo después el Enemigo Número Uno de mi padre. Y ese mano a mano durará los seis años que pasamos en la rue Sarah Bernhardt.

Aparte de lo de la musiquita perturbadora el piso es un bombón en el verano. Mi madre lo ha puesto precioso y nos encontramos los cuatro en la gloria. ¡Lo bien que me llevo con mis vecinas! Todas judías. Hasta tengo la suerte de haber encontrado una nueva amiga, una de las de verdad. Es la hija mayor de una hu-milde familia que vive en un barracón de madera, en la azotea. El padre, pintor de brocha gorda, trabaja cuando hay «currelo». Cuando no hay se va al puerto a pescar y llega siempre con pescados para todos los suyos y a veces para los vecinos. Mi amiga, de mi edad, se llama Fany y trabaja ya como asistenta de un médico radiólogo. Es muy inteligente y con ganas locas de seguir estudiando por sí misma, sola. Es una auténtica autodidacta. Le paso los apuntes de algunos de mis cursos de Francés, de Historia… Suele hacerle muchas preguntas a mi padre, cuando no se ha enterado bien de un tema ¡Es de lista! La admiro mucho. Cuántas noches, o ella en mi casa o yo en la suya, nos sorprenden las doce charlando.

Si antes de llegar a la rue Sarah Bernhardt había tenido trato con los judíos, fue en este inmueble donde los conocí verdaderamente.

¡Qué hospitalarios son y qué alegres! Siempre dispuestos a divertirse. Desde luego no les faltan las ocasiones, con la de fiestas que tienen. La vida de los hebreos está pautada por numerosos ritos religiosos, seguidos fielmente por la mayoría de ellos. Todos empiezan en la sinagoga y acaban alrededor de una mesa ataviada de un lindo mantel y repleta de platos y postres exquisitos.

Voy a enumerar unas cuantas de esas conmemoraciones, las que más me han marcado, y lo que para mi representan.

Roch Hachana: El inicio de la siembra, del trabajo, en otoño, de la tierra. Se reza para que las semillas den frutos, trigos, verduras con abundancia y para que lluvias generosas ayuden al trabajador campesino.

Sukkot: Durante varias noches, siempre en otoño, se construyen cabañas de hojas de palmeras en las azoteas o en los balcones y se cena ahí. Entre las ramas vemos centellear la luna y las estrellas. Los judíos que viven en barrios donde no pueden hacer las cabañas, siempre tienen familiares o amigos que los invitan a compartir la cena en las suyas.

Pessah: La semana de la Pascua. No se come pan con levadura, sino tortas ácimas. La última noche de *Pessah*, se celebra en Marruecos, la *Mimuna*. En todas las casas judías la mesa es un autentico recreo para la vista y el paladar, llena de dulces, pasteles, bizcochos, mermelada, confituras… En su centro, el llamativo y divino *pai*, o sea un enorme pastel relleno de pasta de almendra, mermelada de albaricoque, crema de chocolate y envuelto de merengue. ¡Una locura! Sobre otra mesa pequeña, un lindísimo ramo de trigos verdes, amapolas, hierbabuena, malvas, acompañado de un enorme pescado (sin cocer) y un jarrón de leche cuajada. Tampoco falta el pan «normal» que por fin reaparece en el hogar. Las puertas están toda la noche abiertas. Los amigos, vecinos y familiares van de hogar en hogar. La alegría reina por doquier. En algunas viviendas unos músicos animan aún más la velada. En las escaleras de los inmuebles y en la calle se cruzan grupos que se prometen mutuamente visitarse, entre risas, bromas y los «yuyu» lanzados por las mujeres.

¡Inolvidables *Mimunas!*

Hay aún otras muchas más celebraciones, sin contar los cincuenta y pico *Sabbat* del año.

El *Sabbat* empieza el viernes a la puesta del sol y acaba el sábado, a la misma hora. En Marruecos, es costumbre cenar con pescado de río y con la *dafina,* un estofado especial cocido en el horno durante larguísimas horas. Ni que decir que comparto con mis vecinos todas estas festividades. Mis preferidas son *Sukkot,* por cenar en la cabaña envuelta por miles de estrellitas que rodean la luna. Sus rayitos se escurren hasta nosotros, posándose sobre un plato, una cabeza, una mirada…

Mi otra predilecta es, cómo no, la *Mimuna,* por el ambiente tan especial que envuelve mi plaza de Verdún.

Cada una de mis vecinas me ha regalado algo muy difícil de dar a una «no judía»: una receta de cocina o de repostería. Un auténtico milagro. Las hebreas tienen fama de ser las mejores pasteleras del país. Fama bien merecida. Las recetas ancestrales se transmiten de manera casi iniciática de madre a hijas. Pues a mí, Margarita Ortiz, sin ser hebrea, me han otorgado ese privilegio mis queridas vecinas: el de enseñarme algunos postres y guisos. Suerte, ¿verdad?

Una de ellas, no muy buena cocinera pero eso sí, excelente persona, casi me ha adoptado. Me ha tomado cariño. Madame Tubul, como se llama, tiene dos hijos, uno de mi edad, otro más pequeño, y una niñita, la muñeca de la casa.

Mi querida Mme. Tubul es hermana de una señora bastante adinerada que vive en el centro de la ciudad en un piso inmenso y lujoso. En otoño, invierno y primavera muchos sábados por la tarde, me marcho con los Tubul a casa de la hermana rica, como la llamamos, mitad broma, mitad serio. El hall inmenso está lleno de jóvenes «mayores», es decir de más de 18 años. Muchos de ellos tocan el piano, guitarra, flauta, violín, o acordeón, todos los ritmos que están de moda, el boogie boogie, rock and roll, bolero, mambos, tangos, cha cha cha, aunque también hay un moderno tocadiscos.

Cuándo un chico o una chica, animados por los demás, entona un canto, el baile cesa. Todos escuchan. A veces los refranes son sostenidos por muchas voces.

Los únicos menores somos los hijos de mi vecina y yo. Con qué envidia miramos a esa juventud alegre y bulliciosa que se divierte tanto. Con qué lentitud pasa el tiempo. Qué ganas tenemos de ser mayores. De tener 18 años.

Cuando los bailarines y músicos están agotados, recobran fuerza para seguir, ante un bufé que, no te digo, está lleno de gloria bendita. Después de tan eficaz recuperación, la pandilla se pone de nuevo a bailar, tocar música, cantar, hasta el inicio de la noche.

De regreso a nuestro inmueble, nosotros, mientras andamos, comentamos lo bien que bailó esa chica, el pianista lo genial que era, los bocadillos lo rico que estaban. Por un instante mi mente soñadora me incluye entre esos simpáticos jóvenes. Tengo 18 años y bailo un rock, un coro de muchachos ritman mi baile, cantando y tocando palmas… En otro flash, una fila de jovencitos, delante de mí, me suplican que les conceda los próximos bailes.

Buena gente esta familia Tubul.

Madame Tubul, además de su bondad, generosidad y simpatía tienen un algo muy especial que me encanta: un «pelo en la lengua» que le impide pronunciar la C.

Se dice por aquí que es una particularidad de muchos nativos de Mogador, hoy Essaouira.

Desde su ventana, una mañana mi amiga me llama. Disgustada, me dice que lo siente, no podemos ir a la piscina, como se había previsto. Todo por culpa del almuerzo que no se ha podido cocer rápidamente.

–Tiene la 'o'ota de presión *(cocotte*, olla de presión) es'acharada.

Me parto de risa. Ella ni se inmuta. Ni qué decir que la provoco infinidad de veces, empujada por sus hijos. Trato de hacerle preguntas que requieran respuestas con palabras compuestas con C. Ejemplo:

–¿Por qué no salió ayer?

–Me dolía la 'abeza

–¿Qué se tomó?

–Un 'omprimido con un po'o de 'afé 'aliente.

–¡Qué buen olor! ¿Qué está usted cocinando en el horno?

–Un biz'ocho de cho'olate.

Una curiosidad que constaté años mas tarde. Ya casada y con mis dos niñas, por el año 1970, quisimos conocer el pueblo donde nació la madre de Antonio, Cabra. Fuimos a visitar a unos parientes que tienen una casita en el campo.

Nos recibieron muy cariñosamente. Pero cuál fue mi sorpresa cuando noté que varias personas mayores tampoco pronunciaban la C. Decían que «'abra es provincia de 'órdoba, 'una del toreo, donde nació el 'ordobés» (entonces una de las figuras más grandes del mundo taurino).

¿Qué raro, verdad? Y sin embargo no tanto. Al final del siglo XIX y principios del XX, había unas relaciones comerciales bastante estrechas entre algunos egabrenses y ricos judíos de Mogador. ¿Quién hizo que se tragaran la C, los de Mogador o los de Cabra?

Lanzo mi pregunta.

Vuelvo a mis vecinas.

Otra con la que me la paso la mar de bien es Anita.

Anita es una hermosa y simpática hebrea, oriunda de Larache. Habla un castellano sefardí que me encanta. A la pobrecita la casaron sus padres muy jovencita, con un viudo mucho mayor que ella, gruñón, cascarrabias, y más roñoso que un escocés. Por si fuera poco vive con el matrimonio Mamá Izza, la suegra. ¡Y qué suegra!, más mala que un dolor. Los viernes por la tarde, Anita tiene que ocuparse de los pies de Mamá Izza. Abre su ventana y me dice que no me pierda el lavado. De película. Coloca difícilmente a la enorme anciana en un cómodo sillón, sus pies en remojo en un bañito con agua caliente. Después del lavado, los seca y masajea largo rato. Esto lo hace mi vecina, sentada en un cojín puesto en el suelo. Mamá Izza le pide siempre a su nuera que le cante en español sefardí, aunque ella no entiende este idioma, pues sólo habla árabe.

Complaciente y la mar de sonriente, Anita entona una balada de su repertorio. Hasta aquí todo bien, salvo que la dicha balada va salpicada de insultos y maldiciones, dedicados a la suegra, que de gusto, entre el masaje y el canto se adormila.

Yo en mi casa me troncho de risa. A mis quince y dieciséis años no comprendo cómo la pobre Anita, en esos insultos, expulsa su rabia, rencor y pena por su mal vivir, desgastando su preciosa juventud, con esos dos viejos malos y tacaños, por un plato de comida.

Pero no quiero acabar mi capítulo con esta triste nota, prefiero finalizarlo así.

Una mañana Anita me llama. Sigue este diálogo.

—¿Margot, no tendría un telegrama que darme?

—¿Un telegrama, para qué Anita?

—Para limpiar mis cristales

—¿Con un telegrama?

—Bueno no sé cómo decirlo. Un telegrama o una vicia.

—¿Una vicia? ¿Y eso qué es?

—¿Como que eso qué es?, si tu padre llega a casa todas las noches con la vicia, donde van todas las noticias.

Segundos de reflexión. Vicia, noticias, mi padre las trae a casa...

¡Eureka! ¡Acerté! Anita quiere papel de periódico para limpiar sus cristales. La «Vicia», no es nada menos que el periódico *La Vigie Marocaine*, que efectivamente trae papá a diario.

Resuelto el enigma, le doy a mi vecina un montón de periódicos para su tarea domestica.

Como veis, me lo paso muy bien en mi piso de la rue Sarah Bernhardt.

VUELTA AL COLEGIO

Los años pasados en mi colegio Mers Sultán han transcurrido sin ningún problema. Soy buena estudiante, tengo excelentes compañeras y una verdadera amiga, Paulette.

Desde la plaza de Verdún a Mers Sultán hay buena media hora de marcha acelerada. Empiezo el camino sola. Poco después me reúno con tres chicas del barrio. Cerca de la Catedral otras nos están esperando. Nuestro grupo crece a lo largo del camino. Entre bromas y risas llegamos al colegio a las ocho menos cuarto. Ese «caminito» lo hacemos cuatro veces al día: salimos a las doce para almorzar y las clases vuelven a empezar a las dos para acabar a las cinco. Siete horas al día.

Este año escolar preparo con ánimo el BEPC. Es un diploma que se obtiene si apruebas una serie de exámenes bastante difíciles.

Este BEPC sirve para los muchos jóvenes que no quieren seguir estudiando y que le pedirán para entrar en el mundo laboral, tanto privado como público. Clausura el final del ciclo secundario. El alumno que, por el contrario, quiera seguir tiene ante él un abanico de opciones: formación para las universidades, facultades, escuelas superiores de arte y física, entrada en la de magisterio…

¡Magisterio!, mi meta. Ahí es donde yo quiero seguir estudiando, donde aspiro a que me enseñen a ser maestra de escuela. Ser maestra es una vocación que llevo muy dentro en mí, desde pequeñita. Entonces mi juego preferido era reunir amiguitas vecinas y formar una clase en mi casa. Ellas eran las alumnas y yo, por supuesto, la maestra. El abuelo Pepe me hizo una pizarra negra y una regla larga. En una cestita tenía, lápices, tizas blancas y de colores, una esponja para borrar…

Así que este año la cosa va muy seria. Tengo que aprobar el BEPC, mantenerme en la «Sección Moderna», donde preparamos la entrada a Magisterio. ¡A estudiar con tesón!

Una tarde de marzo la directora me llama a su despacho. Intrigada llego hasta su puerta, ¿para qué me quiere ver? Pego a la puerta. Ella misma me dice que entre.

Nada recuerdo de su despacho, ni si se halla con más personas. De mi memoria se ha borrado todo. Solo queda en ella la escena que se desarrolló entre las dos.

De manera fría e impersonal, me pregunta qué pienso hacer el año que viene. ¡Qué pregunta tan absurda! Desde mi llegada al colegio Mers Sultán he dicho a todas mis profesoras las ganas locas que tengo de ser maestra. Pensé que el mensaje llegó hasta ella. Le contesto: «Quiero seguir en Moderno, para preparar mi entrada a la Escuela de Magisterio». Sin un átomo de humanidad, mi interlocutora responde que eso me es imposible. No la comprendo, me tiene que confundir con otra. ¿Por qué es imposible? Soy buena alumna, desde mi primer año en este colegio, cantidad de veces he recibido felicitaciones y matrículas de honor. Todos los finales de curso, el treinta de junio, ella misma me da los premios por ser una de las mejores en Francés, Historia, Geografía, Matemáticas, Música, Costura… Yo, Marguerite Ortiz, recibo de sus manos el primer premio o el segundo, en forma de libros y llego a casa «cargada con mis laureles». Me han otorgado una beca, dada a las mejores alumnas y que será suprimida irrevocablemente si hay una sola mala nota.

Le expongo todos esos argumentos a esta señora.

–Imposible –me repite–. No puede entrar en Magisterio.

–¿Pero, por qué? –insisto. Escucho lo que menos esperaba:

–No es usted francesa.

Con voz apenas audible, replico:

–¿Y qué voy a hacer entonces?

–¡Oh! Infinidad de cosas, como comercio, contabilidad, secretaría, dactilografía, taquigrafía…

No la sigo escuchando, esta mujer está loca. No quiero estudiar nada de lo que me ha propuesto. ¡Quiero ser maestra!

Salgo de este maldito despacho destrozada, mis piernas no me sostienen, tengo que sentarme en un banco del patio del recreo. ¡Cómo me han engañado! ¿No somos todas las alumnas iguales, solo diferenciadas por el trabajo escolar, las buenas y las otras? ¡Qué va! Es diferente la desigualdad: las francesas y las otras: las españolas, portuguesas, marroquíes, italianas… Todas las puertas le están abiertas a ellas, a las primeras. Para las demás, migajas. Yo que creía que en este colegio se ponía en práctica mi querida divisa «Igualdad, Fraternidad, Libertad». Mentira; no se han abolido los privilegios. Por primera vez estoy frente a la injusticia de la desigualdad. ¡Qué feo veo el mundo!

Aplastada por la pena y la rabia, llego a mi casa y cuento a mis padres mi entrevista con la directora. Se quedan mudos No se esperaban tal cosa. Conmovidos y terriblemente afligidos, sin pronunciar palabra, me abrazan, al igual que mi hermano Ernesto. Los tres saben lo de mi vocación, la de enseñar, un día cercano, mi saber a niños. ¡Ignorábamos esta ley!. Y como soy tan buena estudiante, la realización de mi sueño, para los míos, estaba al alcance de la mano. Ahora tengo que extirpar de mi mente, de mi corazón, ese sueño, porque no soy francesa. ¡Difícil muy difícil!

Al otro día vuelvo a un colegio que ya no es mío; no exteriorizo nada, soy demasiado orgullosa para mostrar mi pena y desencanto. Solo a Paulete cuento mi tremenda desilusión.

El trimestre se me hace larguísimo. Mi amargura me hace desinteresarme por los estudios. Sigo yendo a clases pero estoy ausente de ellas, los resultados no tardan en manifestarse. Suspendo el BEPC. Mi primer suspenso.

¡Bueno mi medio suspenso! Tengo la oportunidad de presentarme de nuevo en septiembre en el Lycée de Jeunes Filles.

¿Para qué quiero esa oportunidad? Sobre todo después de haber recibido mi carnet de fin de curso, donde a pesar de mis notas y apreciaciones, buenísimas, de todas las profesoras, la directora ha escrito de su puño y letra «Paso en Sección Especial». Y tan especial para mí. Pocas horas de Francés, Literatura, Geografía, Historia, Álgebra, nada de Música. Mucho de lo que me habló la directora, lo que no quiero aprender.

Me tiro los tres meses de vacaciones sin abrir un libro. Llega el día de la repesca. Decido no presentarme. Además, de verdad, estoy mala. Tengo anginas y fiebre, no he dormido esta noche. Me quedo en la cama.

Antes de irse para su trabajo, papá me besa pensativo, triste y callado. ¡Mamá no calla! Siempre estuvo satisfecha y orgullosa de mí. Le ha dejado a mi padre la tarea de mis estudios: repasar los cursos, firmar los papeles escolares, asistir a los encuentros padres-profesores. Mamá no se ha implicado nunca en esto. ¡Hoy se implica! Se sienta cerquita de mí, en el borde de la cama y escucha mis lamentos, callada. Después me da la razón: si es verdad que sufro mucho por estas anginas, que el BEPC no es indispensable, que han cometido una tremenda injusticia conmigo… Pero me pide que por ella, para ella, haga un enorme esfuerzo, que me levante, me duche, desayune con mi zumo de piña y bizcochos, que coja una aspirina y que pase todos, sí, todos los exámenes. Ella está segura que los aprobaré. No soy una perdedora, soy una luchadora como papá y como ella. Además tengo que demostrar a la directora que su Escuela Normal ha perdido una buena maestra española. Imposible negarle eso a Esperanza Macías Chacón. ¡Pide poco!

Salgo pitando para el Lycée de Jeunes Filles. Durante tres días, mañanas y tardes, relleno las hojas blancas, que me son entregadas. Parece que mi bolígrafo escribe solo.

Y a esperar unos días el resultado. Un atardecer, mamá y yo, en casa de abuela Adela, vemos llegar a Madame Tubul. Se ha enterado de que las listas de las aprobadas están en el Liceo. Sin perder un segundo, las dos salimos corriendo para allá. La noche ha caído de súbito. ¡Qué jaleo delante de la puerta! Las lágrimas y las risas se confunden, se mezclan. Veo a una compañera mía, sostenida por otra dos, sollozando: ha suspendido, a pesar de tres meses de trabajo intenso, en un colegio privado, carísimo, que su papá pagó en Francia. Trato de consolarla… Entre llantos me dice que ha visto en una lista mi nombre y apellido, está segura. La dejo con su pena, tal la Virgen María, sostenida por María Magdalena y María de Cleofás, camino del calvario.

Alejadas las tres Marías, mamá me abraza con infinita ternura y ella, tan dueña de sí, tan firme, llora de alegría. Saca del escote de su bonito vestido veraniego un pañuelito bordado. Este gesto es percibido por un guarda de la seguridad. Bromista, alzando la voz, le dice a mamá: «¿Es el inicio de un *striptease?*». Sus colegas, iguales de burros, estallan en carcajadas, pero viendo la cara de pocas guasas de mi madre, ofendida en su pudor, recapacitan pronto y le piden perdón por esta broma de tan mal gusto. Y como por lo visto se habían enterado de la discusión que tuve con mis amigas, hasta me felicitan por mis resultados.

Tengo que añadir que mi madre tiene una figura con tanto garbo y elegancia que no pasa desapercibida. Recobrada su serenidad, quiere cerciorarse por ella misma, de dicho resultado. Entramos en el liceo, nos vamos hacia el tablero con las listas de las aprobadas, puestas por orden alfabético. Empezamos por las A, B, C, para pasar rápidamente a la O. Es mamá la que lee la primera: «Ortiz, Marguerite».

Mi apellido y mi nombre me suenan a gloria. De nuevo nos abrazamos y muy cogiditas la una a la otra, regresamos a casa de los abuelos, bajo la luz de la luna que parece mirarnos sonriente y complacida.

Papá ha llegado del trabajo y nos está esperando con impaciencia, en casa de la abuela. Al ver las caras radiantes de su mujer y de su hija, se viene hacia nosotras. Nos juntamos los tres en un abrazo. Los abuelos y demás familia me felicitan. Soy la primera de la familia Ortiz que ha obtenido el BEPC.

FIN DE MIS ESTUDIOS

Llega el otoño.

¡Qué otoño más triste, este, para mí! Es la primera vez que emprendo el retorno al colegio tan desanimada. No hago el más mínimo esfuerzo para interesarme por los nuevos estudios de esta «Sección Especial». Qué largos se me hacen los días y sin embargo obtengo buenas notas… Sin percatarme, demuestro una actitud de superioridad: «¡Vengo de Sección Moderna»! Mis aires de preponderancia y mi arrogancia seguro que tienen que fastidiar y cansar a mis profesoras. En particular a las de Contabilidad. Reina entre nosotras una franca hostilidad. Mi mal genio, mi impertinencia mi pésima voluntad chocan con su antipatía. Una mañana, mi insolencia excesiva obliga a la señora a echarme de la clase. Lo que hago con altanería. Debo pasar las dos horas en «permanencia». Las salas de permanencia o salas de estudio, están atendidas por asistentas que ayudan a las alumnas en sus deberes y las vigilan también. Después de tantos años pasados en mi colegio, lazos de amistad me unen a muchas de ellas. En particular a Madame Mallet. Cuánto ha sentido mi cambio de orientación escolar. Sabía lo de mi vocación, la de ser maestra. A pesar de esto no aprueba mi nuevo comportamiento, me aconseja que trate de involucrarme en mis nuevas asignaturas, tal vez lleguen a gustarme. Me pueden abrir horizontes insospechados. Tengo que dejar de ser desagradable con mis profesoras, siempre he sido una buena chica, bien educada y simpática.

Palabras en vano. Sus buenos consejos entran en oídos sordos. ¡Es que me ahogo nada más entrar en clase! Hoy por suerte es ella quien se ocupa de la «permanencia». A mi llegada le cuento mi último enfrentamiento. Aguardo su regañeta, cabizbaja. Extrañada por su mutismo, levanto la cabeza y me sorprendo al verla tan sonriente. ¡No la entiendo! ¿Se encuentra bien?

Me coge de la mano y nos sentamos las dos en un banco, al fondo del aula. Entonces, sin dejar de sonreír, me anuncia que tiene una «revelación» que está segura me va entusiasmar. Le ruego que hable… ¿Qué noticia puede ser? Y Madame Mallet cuenta lo que será para mí, un acontecimiento extraordinario.

Varios años han transcurrido desde que Marruecos obtuvo la independencia. Durante la lucha por esa independencia, se le prometió al pueblo la escolaridad total a todos los niños y niñas. Promesa incumplida. Faltan maestros y profesores. Muchos. Faltan escuelas y colegios. Muchos también.

Por ahora en el Primario, los alumnos tienen cinco horas de estudio al día, dos horas y media para una enseñanza en francés y dos horas y media para el árabe. En un aula se acoge hasta cincuenta niños o niñas.

Las escuelas de Magisterio no dan abasto para formar a tantos educadores como necesitaría el país.

Ha salido entonces una ley: puede ser maestro el que tenga el BEPC después de aprobar unas cuantas pruebas. El candidato puede ser francés o de otra nacionalidad.

Yo, Margarita Ortiz, no seré francesa, pero tengo el BEPC. Y estoy dispuesta a afrontar todas las pruebas que me pongan por delante.

Relleno los impresos, que me da la buena de Madame Mallet, para mi solicitud a un puesto de maestra. De todo esto no digo ni pío en mi casa. ¡A esperar la respuesta! Seis, siete veces al día bajo las escaleras para ver si en el buzón, tengo contestación.

Una tarde, de regreso del colegio, mi madre me entrega una carta cerrada a mi nombre, enviada por el Ministerio de la Educación Nacional. Mi emoción llega al paroxismo. Rodeada de mis padres y de Ernesto, leo en voz alta. El inspector principal, Monsieur Foulonneau, me convoca a su despacho, desea conocerme.

Los míos no entienden nada de nada. ¿Por qué me quiere conocer ese señor? ¿Qué nueva fechoría he hecho en el colegio? ¿Será para echarme de allí?

Trato de controlarme, de calmar mis nervios, de apaciguar los latidos de mi corazón. Les cuento todo lo que me dijo Madame Mallet, mi petición al Ministerio, mi larga espera.

Papá está consternado. ¡Abandonar tan joven mis estudios! Calla, reflexiona. Mamá furiosa grita. Ni hablar de que abandone los estudios, trabajar a mi edad, que ni me lo piense. Ernesto, muy joven aún para haberlo entendido todo, es el único que tiene cara de felicidad. ¡Me sabía tan desgraciada de no haber podido realizar mi sueño! Así que si ahora este señor Monsieur Foulonneau me permite ser maestra, bendito sea. Mi hermano está la mar de contento, siempre lo está cuando yo lo estoy y él sabe la ilusión que me causa esta convocatoria.

Nuestra complicidad, al igual que nosotros dos, crece con el tiempo y nos une más y más. Esos nudos de cariño y convivencia van a trenzar nuestras vidas. Siempre a la escucha el uno del otro. Sin que nuestro cariño tenga altibajos nunca. Hasta el día de hoy.

Volvamos a la postlectura de la carta. Ahora me toca lidiar dos toros, mamá, un miura. Pero han entrado al capote, mi padre el primero, mi madre más difícilmente. No se ha entregado enseguida. Impone condiciones. Quiere estar presente en la entrevista, no se fía. ¿Es para conocer a la futura postulante o para otra cosa? ¡Hay tanta perversión en este mundo! Lobos disfrazados de corderos para engañar a niñas inocentes, como yo.

¡Qué imaginación tiene mi madre! Ni Alejandro Dumas.

Así que nos marchamos las dos para la Delegación del Ministerio de la Educación Nacional. Monsieur Foulonneau nos recibe. Lo noto sorprendido, me somete a un montón de preguntas. Lo que más le interesa son mis motivaciones. Por el salario no será. ¡Se gana tan poco de maestra!

Al principio de mis respuestas, me siento un poco cortada. El corte dura poco.

Como de costumbre, me lío a hablar y le cuento todo, mi enorme decepción de no poder ingresar en la Escuela de Magisterio, el poco interés que tengo por mis nuevos estudios, las providenciales informaciones de Madame Mallet, mis sueños desde niña de ser maestra... Le cuento hasta lo de la pizarra del abuelo Pepe.

¡Con que paciencia ha escuchado y diría yo, con interés, el relato de mi vida!

Cuando creo que sabe todo de mí, me callo. El me mira de arriba abajo. Ve seguramente una adolescente con cola de caballo, sin rastro de maquillaje, vestida con una falda de campana roja y una blusa con flores, mis pies calzados con unas bailarinas rock and roll tan a la moda.

Sigue silencioso y ese silencio no me gusta ni chispa.

¡Ay, Margot, el ser tan charlatana te llevará a la perdición! ¡Qué de barbaridades y tonterías le habré contado a este hombre! Bueno, él también me podría haber cortado. Ahora que se ha enterado hasta de mi primera papilla, me va a dar un desplante que «pa qué».

Y no habla. Qué angustia. Por fin abre la boca, y muy serio me dice:

—Señorita Ortiz, me parece que no tiene los dieciocho años reglamentarios.

No puedo proferir nada, un nudo en la garganta me lo impide. Deniego con la cabeza.

—Ni tiene diecisiete años.

—Los tendré dentro de tres meses —pronuncio con voz apenas audible.

Una sonrisa en su cara pone fin a mis tormentos.

—Señorita Ortiz, tendrá que hacer diversas prácticas en diferentes escuelas. Si los informes de sus maestros tutores son buenos, le daré entonces una clase. Será usted maestra de esa clase. ¿Le va?

¡Que si me va! No sé cómo me contengo y no le zampo dos besos en la cara al divino Monsieur Foulonneau.

Salimos de su despacho, camino hacia la casa, mamá muy pensativa, llena de incertidumbre por mi futuro, ya presente. Yo, eufórica.

La familia Ortiz Macías

Se realiza mi vocación

Es en una escuela del barrio Derb Mulay Cherif donde me han mandado para mis primeras prácticas y cursillos. Mi padre me acompaña el primer día. El anterior se lo pasó buscando dicha escuela, en ese barrio que no conocíamos. Fue también a la estación de autobuses para que le indicaran la combinación más fácil para mí, desde el punto de partida, la plaza de Verdún.

Ahora estamos los dos ante el portal. Cuando lo cruce, veré concretarse uno de mis sueños. Estaré del otro lado de la enseñanza, del lado donde se da el saber. Dejo para siempre el lugar donde se recibe ese saber.

Me asaltan, entonces, un sinfín de dudas. ¡El saber, mi saber es tan pequeñito! ¡Si no sé nada! Mi ignorancia me aterroriza. Papá, que lee en mí, posa sus dulces pero firmes manos sobre mis hombros, me mira a los ojos y me dice:

—Ve, mi niña. Tendréis tantas cosas que aprender tus alumnas y tú las una de las otras. Déjate guiar siempre por tu corazón.

Me besa con infinita ternura, me da la espalda, se marcha…

Desamparada, lo veo alejarse. Me digo: «Ay papá, te alejas de mi vida por primera vez». Sí, en ese instante salgo de mi mundo infantil. Soy una adulta. Con pasos firmes doy media vuelta y entro en ese mundo nuevo, con mis incertidumbres pero con mis ilusiones intactas. Madame la Directora me presenta a la maestra que se ocupará de mi formación. Esta me dice que me instale al fondo de la clase y que durante los dos primeros días, tome notas pero que, sobre todo, observe. Después, como si yo no estuviera, vuelve a su tarea.

Miro todo detenidamente. Alucino. Sí, estoy alucinada. ¿Pero en qué escuela estoy? Qué aula más triste y fea. En mis escuelas primarias cada maestra quería presumir de su clase. Para eso constituía su «museo». Nosotras, embobadas, veíamos un pequeño caimán embalsamado, así como diversas aves, colecciones de mariposas exóticas, rarísimas piedras y animales fosilizados, manuscritos iluminados y un sinfín de cosas extrañas. Las paredes estaban decoradas con cuadros alegres y sugerentes y en las anchas ventanas cortinas de color impedían a los rayos del sol ardientes que nos molestaran. En primavera veníamos con nuestra caja de zapatos llena de gusanos de seda y apostábamos: ¿De quién será la primera mariposa que salga de su capullo?

Hace pocos días dejé mi magnífico colegio de Mers Sultán, tan florido en abril, con sus rosas trepadoras, olorosas, invadiendo los muros…

Hoy me encuentro en una clase con más de cuarenta niñas, las paredes llenas de desconchones, sin pintar desde no sé cuándo, las ventanas sin cristales y sin cortinas. Estoy en otro mundo. Un mundo desconocido para mí. Me fijo en las alumnas. Llevan todas largas faldas de algodón descoloridas, viejas sandalias de plástico y un pañuelo deslucido sobre sus bonitos cabellos largos, trenzados, espesos.

Me siento molesta, incómoda, son niñas «pobres». Pobres que no había visto yo antes. Soy hija de obrero, mi madre cose para mejorar nuestro hogar. Sé que hay niñas menos pobres que yo y otras ricas. Lo que no había visto en Casablanca eran más «pobres» que yo, pero mucho, mucho más que yo.

Las niñas de mi entorno llevan ropa de verano o de invierno para ir al colegio y otra vestimenta para los domingos y fiestas… En la escala de la pobreza, soy riquísima, comparada con estas chiquillas.

Las observo largamente, con pena. Pero mi pena se va esfumando al poco rato.

Los ojos les brillan de alegría y picardía. Son felices. Sí, son felices de estar en un banco de escuela, de ser las primeras desde hace siglos en recibir una enseñanza gratuita, de tener, aunque ellas no lo sepan, una maestra estupenda.

Yo, de esto me enteré más tarde. Las maestras que acogen a las cursillistas como yo son las que han tenido las mejores anotaciones de la Inspección. Son unas pedagogas extraordinarias.

Ahora es esa maestra la que capta toda mi atención. Estoy fascinada, como todas esas niñas. Qué manera de enseñar, de comunicar el saber, de captar sin pausa la atención de todas, que beben sus palabras, ríen, se emocionan, se concentran. Parece un director de orquesta dirigiendo a sus músicos. Mismo entusiasmo, cadencia, ritmo.

¡Ay! ¡Cuánto me gustaría llegar a ser una maestra como ella! Como ella y como fueron las otras dos que me recibieron para completar mi aprendizaje. Sí, eso es lo que soy una pequeñísima aprendiz. Mi ignorancia pedagógica es impresionante. Los conocimientos que hubiera adquirido en la Escuela de Magisterio voy a tener que aprendérmelos sola, día a día, con la ayuda de mis alumnas. Por los resultados obtenidos sabré si voy por buen camino y si adquiero pedagogía.

Trato de empaparme al máximo de mis tres cursillos. Los dos últimos días de cada uno de ellos soy yo la que da la clase. Clase que he preparado minuciosamente en casa, puesta en fichas. Las alumnas se han prestado fácilmente a mi tarea. Mis «tutoras» no han intervenido nunca, me han observado, sin hacer ningún comentario. Han elaborado cada una un informe sobre mi comportamiento, mi manera de enseñar…

Los tres informes han ido a parar al despacho de M. Foulonneau, que me convoca una semana más tarde. Esta vez voy sola, el alma en un hilo. Me recibe muy sonriente. Me dice que mis tres tutoras piensan que puedo ser una buena maestra si sigo con el mismo entusiasmo y la misma voluntad de aprender.

¡Puedo ser una buena maestra! Después de decirme estas palabras, el Inspector Principal concluye con: «El lunes que viene, empieza usted como maestra suplente en la escuela La Pepinière». Salgo de su despacho con alas. Ni me he enterado cuál será mi sueldo.

El lunes mi padre y yo, como ya es costumbre, nos dirigimos hacia la *pepinière*. La Pepinière (o sea el vivero). Bonito nombre para mi primera escuela.

Al entrar en ella, me siento mujer.

La Pepinière está situada en el barrio de Derb Mila (Milán), medio oculta por un pequeño bosque de eucaliptos, pues estamos en las afueras de Casablanca. Quedo bastante sorprendida, pues se encuentra en mejores condiciones que las de mis cursillos. Hay dos escuelas La Pepinière: una para niñas y otra para niños. Las aulas están en la planta baja y en el primer piso. En el centro, un patio bastante limpio bordeado de hibiscos. A la derecha, otro patio techado que sirve de «cantina» todos los días y de recreo, cuando llueve, pocas veces por cierto. A su izquierda el despacho de Madame la Directora y el de su secretaria. Esta es la que me dice que voy a ocuparme de niñas de sexto y la que me conduce a «mi» clase. Ese adjetivo posesivo, me sabe a miel.

Por cierto voy a ejercer en dos clases, cada una con cincuenta alumnas, durante dos horas y media. Por la tarde, esa misma aula servirá para el maestro de árabe con mis dos mismos grupos.

Se esfuma la secretaria. Un jaleo estrepitoso reina en el interior. Entro. Sigue el escándalo, nadie se inmuta por mi presencia. Sin hablar me voy hacia mi pupitre, lo limpio, saco de mi bolsa mis «pequeños tesoros». De pie (está prohibido sentarse), me cruzo de brazos y siempre silenciosa, observo con descaro, medio irónica, y medio divertida a las «nenas», histéricas, gritando, cantando, bailando, al compás del tamborileo provocado por sus manos, en las mesas. El desmadre.

Mi calma olímpica da frutos. Intrigadas, una a una se van calmando. Acaban por sentarse todas. El silencio es absoluto. Aguardo aún, largos minutos antes de hablarles. Después, me presento y me lanzo en un bonito discurso previamente preparado. Las chicas, la mar de tranquilitas, me miran, bocas abiertas. Tardo en comprender. En comprender que las pobrecitas no me han comprendido. No saben ni una papa de francés.

Sigo sin comprender. Estas niñas, normalmente, el año anterior, en séptimo, hicieron francés y este año, de octubre a mayo, también. Cerca de dos años escolares y no hablan ni una palabra de francés. ¡Qué misterio! Les hablo entonces en árabe, el poco que sé.

¿Qué clases me ha dado mi directora? Tengo que enterarme cómo alumnas de sexto, normalmente de ocho a diez años, tienen, la mayoría, más de quince, casi mi edad por no decir más. Valiente ganado me ha tocado lidiar. Pero si Madame Tuyau, mi directora, ha pensado que voy a suspender la corrida, cómo hicieron mis predecesoras, se equivoca. A mis vaquillas las voy a torear por las buenas, sin pinchazos de picadores, ni banderillas, ni espada.

Qué pena que sepa tan poco de árabe dialectal, aunque pensándolo bien, tal vez sea más pedagógico que hable solo en francés. Haré gestos, mimos, dibujos en la pizarra…

Es así como inicio el curso. Consigo interesarlas. Me dicen sus nombres, les digo el mío: Mademoiselle Ortiz. Acabo la clase con una canción que repiten encantadas.

Suena la campana. ¡Qué pronto han pasado las dos horas y media! Todas se ponen en fila, casi perfecta, dos por dos, y pasillo adelante, las llevo hasta la puerta de la escuela que da a la calle. Se despiden de mi, contentas, con un *«Au revoir Mademoiselle»* (adiós señorita).

¡Mis niñas! Un hondo suspiro me sale de lo más profundo del pecho Sé, estoy segura de que triunfaré, me haré aceptar por ellas y quién sabe hasta querer. Voy a aprovechar a tope los dos meses que nos quedan.

Esta misma mañana, una vez acabado mi trabajo, me planto en el despacho de Mademoiselle Tuyau y le pido explicaciones.

1.º ¿Por qué mis alumnas no saben nada de francés, después de dos años en la escuela?

2.º ¿Por qué son tan mayores?

Me cuesta trabajo hacerla hablar, pero lo consigo. La directora consiente esclarecer estos enigmas. Estas niñas son las que el año anterior ninguna maestra quiso, ya sea por sus edades, ya sea por sus malas conductas. Las juntaron en dos pequeños grupos, que le dieron este año, en octubre a una maestra encinta de siete meses. Al poco tiempo esta cesó su trabajo. Desde entonces las pobres criaturas, fueron repartidas en diversas aulas. Las maestras que las recibían y que tenían bastante con las suyas propias, se limitaban a instalarles en el fondo de las clases y las dejaban que hicieran lo que les diera la gana, pero eso sí, en silencio.

¡Pobres nómadas las que me han caído! ¡Por eso salieron del aula tan contentas! Me he ocupado de ellas durante dos horas y media y no han notado signo de embarazo en mí. ¡Por fin van a la escuela para aprender!

La primera foto como maestra

También me he enterado de lo de la edad. Antes de la independencia, los habitantes de Marruecos, no inscribían a los recién nacidos (ni a los muertos), en un registro civil. Después de la Independencia, se les obligó a todos los marroquíes, a hacerlo.

La mayoría no sabe con exactitud el año de su nacimiento. Después cuando se enteran que todos los niños y niñas pueden ir a la escuela si tienen siete u ocho años, para empezar, es el disloque. Todos pretenden que su nene tiene esa edad, aunque tenga la edad para la mili. Es el funcionario que se ocupa del registro civil o del carné de familia que puede, solo él, determinar si la edad pretendida por el papá corresponde, más o menos, al físico de la criatura. Pero como todos los funcionarios no son incorruptibles, por algunos billetitos se les rebaja la edad de cuatro y hasta cinco años a algunos.

Y por estos «corruptos», me veo con mujercitas casi de mis años. Tanto mejor para ellas que van a poder tener la enseñanza tan anhelada. Tal vez pueden, más tarde, obtener un trabajo digno y sobre todo lo más bonito en el mundo, saber leer y escribir. Es por eso que mal vestidas, pasando hambre, frío, calor, todas, digo bien todas, entran en la escuela dichosas y felices y salen igual de contentas.

183

Durante mis años de maestra, ante mí sólo he tenido caras animadas, entusiasmadas, con ganas locas por aprender. ¡Bendito tiempo aquel!

*   *   *

No puedo acabar este capítulo, mi primer día en La Pepinière, sin relatar lo sucedido en el recreo.

Después de haber acompañado a mis alumnas hasta la puerta de la calle, decido presentarme a los demás maestros y maestras de la escuela. Los veo de lejos y, sorprendida, me doy cuenta de que forman dos grupos distintos, los europeos y en otro lugar del patio los marroquíes. Me acerco a los primeros que están cerca de mí. Intercambiamos nombres y sonrisas, y diciéndoles que lo siento, los dejo, pues tengo que presentarme a los demás. Noto como un cambio frío. Se les borran las sonrisas. Me voy hacia los otros. Estos me acogen con caras de asombro. Asombro que se acentúa cuando, siempre sonriente, les digo mi nombre y apellido. Les pido que me den los suyos. Están mudos de estupor. Un marciano los hubiera afectado menos. Poco a poco se van recobrando uno a uno, ya más relajados y me dicen como se llaman.

Suena el fin del recreo. Tengo que empezar la clase con mi segundo grupo. Cavilando, voy hacia él, pensando en mis compañeros: poca comunicación entre los dos bandos. La cohabitación no tiene que ser muy cordial.

Tengo que añadir, para terminar mi capítulo que yo me sentí como pez en el agua con las dos «comunidades». Me integré, como se dice hoy en día (por entonces no se utilizaba esa palabra). Al poco tiempo, todos me llamaban Margot. Duró poco lo de Mademoiselle Ortiz. Vaya usted a saber por qué, tal vez porque era la más joven de todos o porque mi diminutivo les gustaba…

Desde luego raros son los que me han llamado Margarita o Marguerite. El Margot, escogido por mi padre cuando nací, gustó y me ha seguido hasta ahora. Solo para mis nietos que lo han adornado de «ja» y me llaman Ja Margot.

HERMINIA

Suena el teléfono. Herminia.

Ella, André, su marido, y Jocelyne, su hija, han regresado a casa después de unas bonitas vacaciones, iluminadas con el sol de Fuengirola.

Viven en París, que los recibe con lluvia y un cielo gris otoñal. ¡Qué cambio!

Mira que estamos contentas de hablar por teléfono, tenemos siempre tantas cosas que contarnos.

Después de terminar nuestra charla, pensativa y con emoción surgen en mí… la abuela Ana, Herminia. Collège Mers Sultán: Herminia. Nuestras tremendas enfermedades de mamá y mías: Herminia. Ayer, hoy y siempre, Herminia. Pertenece a mi pasado, a mi presente y a mi futuro, así como a los de mi madre. Se los debemos a Herminia quien tuvo por hijo a René, el eminente profesor en cirugía René Adam, que tanto a mama como a mí, nos salvó la vida, cuando estábamos los dos a punto de perderla.

¿Pero se puede hablar de Herminia sin decir Herminia, hija de Antonia? Tuve el privilegio de conocer a Antonia, de tratarla, de quererla. Ha habido y habrá pocas Antonias como esta. Mujer extraordinaria que con su alma, corazón y tesón levantó su hogar, sola. Su recompensa tuvo. Los seis hijos que trajo al mundo, todos son buenos. Buenos de verdad, como era ella. Antonia fue buena, no porque nunca hizo el mal sino, todo lo contrario. Toda su vida se la pasó ayudando al prójimo. El bien, lo esparcía. ¡Poco tenía pero cuánto daba! Siempre. Empezó criando a los suyos con enormes dificultades materiales, pero a todos los sacó adelante. Ellos, muy jóvenes, también trabajaron duro y colmaron a la madrecita buena de dulzura y bienestar. Antonia vivió su vejez cómodamente, en un bonito piso, rodeada de su gente que la adoró hasta su final. No sé si notó dicho cambio material pero supo aprovechar su nueva situación económica para ayudar más y mejor a los necesitados. Antonia engendró raza buena. Bendita sea.

Me dejó un legado inestimable, una buena hermana, Herminia. Mi amiga, mi hermana mayor, la que no tuve cuando nací.

Inicio de una amistad

La familia de Herminia y las mías paterna y materna se conocían desde los años 30. Vivía en la rue de l'Allier. Allí abuela Ana, iba a coser con Antonia Atienza…

Un día su casa se cerró durante muchos años. Los hijos mayores le pusieron a su madre un bonito piso en el elegante barrio Mers Sultán. Y otro día, la casa de la rue de l'Allier se volvió a abrir. Nosotros vivíamos frente a ella, por entonces. La abrió un joven guapo de ojos azules, francés.

Un atardecer viene a vernos Herminia con el apuesto joven, su novio, André. Se le ven muy enamorados. Nos dicen que André ha decidido renovar la casa vieja y abandonada de Antonia, para ocuparla ellos cuando se casen. Mis padres están encantados de tenerlos tan cerca de nosotros. Nuestra ventana da a su puerta. Siempre ha habido mucho cariño entre nosotros y todos los Atienza.

Como Herminia tiene trece años más que yo, no la conozco mucho todavía.

Al otro día, llega André con las herramientas de albañil, carpintero, electricista, pintor y con un montón de material. Durante largos meses, en cuanto sale de la empresa donde trabaja, nuestro valiente amigo se encierra en la caseta y a reconstruir se ha dicho. No le permite a nadie que entre a verlo. Ni a su novia. Las vecinas, muertas de curiosidad, acosan a mis padres a preguntas: «¿Qué hace ese hombre? ¿Lo hace bien al menos?». Cuando una y otra vez mis padres responden que no saben nada de nada, incrédulos y despechados, replican «Se estará construyendo un palacio, el francés».

Un domingo, vemos llegar muy cogiditos del brazo a Herminia y André, elegantísimos.

Ha acabado la restauración y quiere que seamos, con su prometida, los primeros en visitar la nueva vivienda. Entramos intrigados y curiosos en la casa. Somos cinco las personas encandiladas que admiran los «trabajos de Hércules». Boca abierta, contemplamos el dormitorio, el comedor flamante, la cocina super moderna toda alicatada el *«must de los must»*: una sala de baño con bañera y ¡qué bañera! ¡Digna de la faraona Cleopatra! Es la única en la rue de l'Allier y en sus contornos. Felicitamos todos a André por su espléndido trabajo. Herminia, que no se esperaba tanto, llora de emoción. Su amado le seca las lágrimas. Papá, jovial, nos propone ir a mi casa a brindar por el «nido de amor» hecho por las manos de este formidable hombre-orquesta.

Mientras mi madre saca vasos y platos, André pide una sartén. En ella vierte un puñado de granos de maíz muy pequeñitos, un poco de sal y aceite y pone todo esto a calentar. Al instante, explosiones repetidas seguidas de bombardeos nos hacen huir de la cocina. Dura poco nuestra retirada. Vuelve el silencio. Con cautela, uno a uno, en fila india, entramos en la cocina, hay bolitas blancas en forma de flor por todos los sitios. Por suerte han quedado algunas en la sartén. Las probamos. ¡Una delicia! Por primera vez degustamos los *pop corn* (palomitas en España). ¡Comprendemos que se deben hacer en una cacerola y, sobre todo, con tapadera!

Otro día, nuestro amigo le trae a mi madre unos polvos, según él, extraordinarios y de multiusos. Justamente mi madre está fregando los platos, en dos bañitos, uno para lavar y el otro para el enjuague. En casa como en todo el patio no hay agua corriente. Menos mal que una vecina, Madame Benjyo, ella sí tiene. En un rincón de su villita, hay un grifo para nosotros, los del patio Ohayon, claro está, pagándole.

¡Mira que doy viajes al día, para acarrear el agua dichosa! Se me da muy bien lo de «Doy más viajes que un aguador».

Volvamos a la fregaza de mamá. Ella utiliza jabón de «los platos» o sea de Marsella y un puñado de sosa. André vacía el baño, lo llena de agua y hecha un montón de polvo. Al diluirse con el líquido empieza a salir espuma y más espuma que al igual que el *pop corn*, invade la cocina. A correr a casa de Madame Benjyo, en busca de dos cubos de agua. Desde luego que los cacharros están de lustrosos que da gusto verlos.

Moraleja: esos polvitos mágicos se deben utilizar con tiento.

El detergente como se le llamó después, fue una bendición para las amas de casa.

Muchas otras novedades, productos o aparatos electrodomésticos, tuvimos la oportunidad de ser de los primeros en conocerlos, gracias a André Adán y a su insaciable curiosidad por todo lo nuevo.

Se casan Herminia y André.

André, trabajador y luchador, siempre regresa tarde de noche. Herminia se muestra una excelente ama de casa y una extraordinaria cocinera. La felicidad reina en ese bonito nido de amor. Solo una nubecilla enturbia esa dicha. Herminia se ha criado rodeada de mucha familia. La casa de Antonia siempre está llena de hijos, hijas, yernos, nueras, nietos y un sinfín de amigos. Todos alegres y jaraneros. Cuando acaba sus labores, casi todas las tardes, Herminia va a pasar un ratito a casa de su madre, a fundirse en el bullicio que reina allí. Luego de regreso a su nuevo hogar, espera largas horas a su marido. La soledad le pesa Me sugiere entonces que me vaya con ella para hacer mis deberes escolares. Mi presencia le hará compañía. Acepto encantada. Una vez terminados mis deberes nos ponemos a charlar…

Tengo catorce años, ella veintisiete. Nuestra amistad brota cada día más fuerte, uniéndonos para siempre. Somos amigas de las de verdad, de las que se cuentan con los dedos de una sola mano. Y eso hasta el día de hoy. ¿De qué podemos hablar? De todo. Ella me contará páginas de su infancia, sus emociones y sentimientos de joven esposa. Yo le contaré mis días, los de una adolescente. Luego, cuando surge mi primer amor, le confío los secretillos y pormenores de mis amoríos, los latidos de mi corazón juvenil. Nos confiamos todo.

Dos años más tarde, mis padres dejan la rue de l'Allier por la rue Sarah Bernhardt. Los Adam tienen un bebé, René. Ellos también se mudan a Mers Sultán. Sigue la amistad. ¡Cuántas veces, durante años, de doce a dos, me voy a almorzar a casa de Herminia, saliendo del Colegio Mers Sultán! Sin avisar. Siempre hay comida para mí. ¡Y qué comida!

Pasa el tiempo. Me caso, tengo dos niñas. Mi amiga también ha tenido una, Jocelyne. Las tres niñas comparten juegos, los miércoles por la tarde, que no hay escuela, a veces en mi casa, otras en la de Herminia. Mientras las crías juegan, nosotras dos charlamos.

Un triste día para mí, los Adam dejan Casablanca, definitivamente. Van a vivir a París. ¡Qué vacío en mi vida! Pero nuestra amistad a pesar de la distancia, no mengua.

René es uno de los más eminentes profesores en cirugía de Francia, por no decir de Europa. A mi madre la operó cuando tenía setenta y dos años. Más tarde le hizo otras dos operaciones. Tres intervenciones difíciles que solo él logro magistralmente. A mí también me operó, me salvó la vida. Durante esos momentos horribles, André y Herminia nos acogían, antes y después de las operaciones en su casa. El tiempo pasado en el hospital, todas las tardes, el bendito matrimonio venía a ver a la enferma. Derrochaban generosidad, ternura por doquier.

Cantidad de libros me serían necesarios para resaltar los hechos tan buenos de nuestros amigos. Cantidades de vidas me serían necesarias para agradecer miles y miles de veces esos hechos. ¡Qué amistad tan bonita la nuestra!

Antonio Moreno

MI PRIMER AMOR

Antonio y Margot. Margot y Antonio.

¿Amé a Antonio antes de haberlo conocido? ¿Antes de que yo naciera? Este pensamiento surgió en mí, de sopetón, un día. Una revelación. Pensativa, entonces me imaginé la vida sin Antonio. No sería una vida. Sería no sé qué, menos la vida. Sin embargo, cuando aún no lo conocía, yo llevaba una existencia dulce y bonita. Era feliz. ¿Sería porque Antonio estaba en mí, en cualquier parte de mí ser? Yo no lo sabía. Sin embargo ahí estaba…

Antonio y yo vivimos en ósmosis. Nuestras dos vidas se han entrelazado de manera innata, ineluctable. *Mektoub,* como se dice aquí en mi tierra, en Marruecos. Estaba escrito.

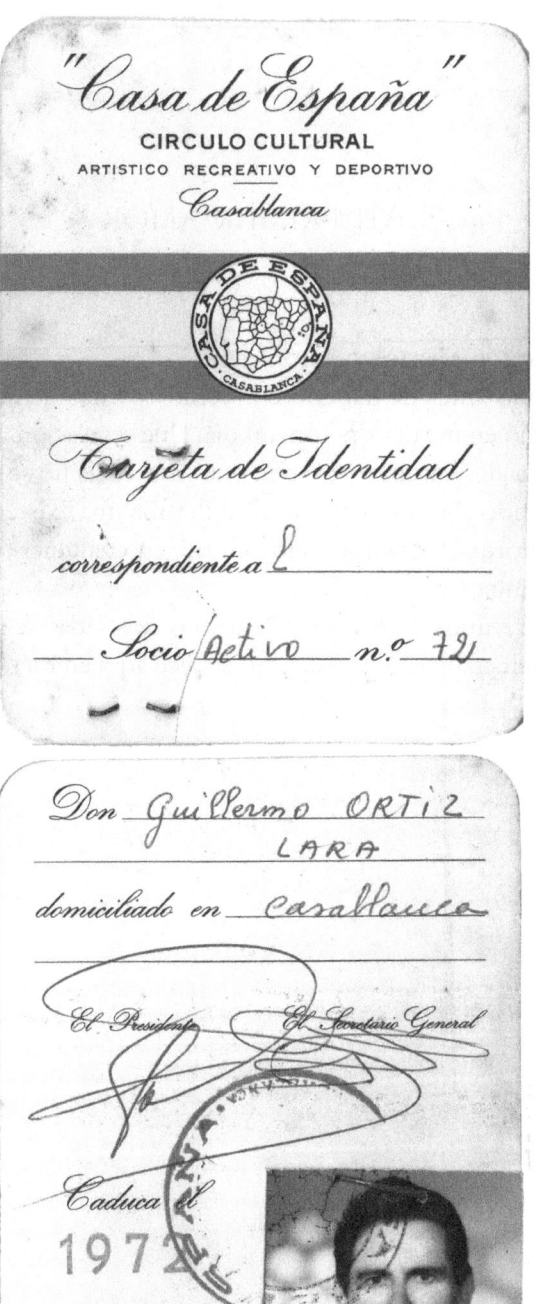

"*Casa de España*"

CIRCULO CULTURAL

ARTISTICO RECREATIVO Y DEPORTIVO

Casablanca

Tarjeta de Identidad

correspondiente a l

Socio Activo *n.º* 72

Don *Guillermo* ORTIZ
LARA

domiciliado en Casablanca

El Presidente   *El Secretario General*

Caduca el

1972

Aquí, un día...

Mi padre trabaja de maestro grabador en un taller, situado en una *kisaria*, en el centro urbano.

La *kisaria*, o sea alcaicería, patio interior que da a la calle, está ocupada por talleres y tiendas. Papá, pedagogo incansable, enseña no solo el arte del grabado artístico a sus compañeros, sino a leer y escribir a los que no saben, al igual que a ser generoso, leal, tolerante... Y le queda tiempo para cantar. A Guillermo le encanta trabajar cantando y canta tan bonito que los demás, seducidos por su voz, se han puesto ellos también a cantar. La *kisaria* resuena con canciones, coplas, baladas, flamenco. Pero eso sí, todos callan cuando brotan las voces de papá y la de Haim.

Haim es un joven judío, apuesto y simpático, que admira a su maestro quién le ha enseñado coplas y flamenco. Cuánta emoción sentimos escuchando a Haim cantar *En la cruz de los caminos,* de Juanito Valderrama. Su *vibrato* árabe mezclado con el flamenco es de lo más armonioso. Este guapo judío que canta tan bien, no sabe lo que canta. Solo habla árabe y francés. ¡Magnífico!

Frente al taller de grabado se hallan la parte de atrás de dos *boutiques* de Alta Costura, las más renombradas de Casablanca, Chantal y Regine. Pueden presumir de tener las mejores modistas de la ciudad. Estas señoras y señoritas adoran coser escuchando a Guillermo cantar. Cuando un silencio insólito reina en el taller, se escucha a una de ellas decir:

—¿Pero bueno, señor Guillermo, que le pasa hoy? Nuestras agujas están en paro y así seguirán hasta que no le oigan. Cántenos un tango, por favor.

Y Guillermo a complacer la petición. Otras veces, el silencio proviene de las modistillas. Le toca al maestro grabador preguntar la razón de esa calma. Le dirán que es porque una tiene una penita en su corazón, otra son problemas familiares o la jefa está de mal humor. Todo se lo cuentan a Guillermo y éste, con su ingenio y gracia, hará que la risa vuelva al taller de costura.

A la siete de la tarde se para el trabajo. Los obreros se marchan, llegan los otros. Los otros son sus amigos que vienen para echar un rato con él. Amigos buenos tiene tantos... viejos, jóvenes, intelectuales o casi iletrados.

Guillermo posee ese don de ser apreciado por personas de culturas distintas, de medios sociales dispares. Todos disfrutan hablando con él de política, música, sucesos, contar chistes…

Qué suerte tenemos, Ernesto y yo de ser hijos de Guillermo Ortiz. Después, en nuestra casa, cenando, nuestro padre nos relata todas esas «pequeñas cosas» que han llenado su día, un día que vale con creces, por diez, el de cualquier otra persona. Insustituible papá.

En el taller de grabado trabaja un joven, Pepe Tur. Llegó de Málaga hace unos cuantos años con su madre para, por fin, reunirse con su padre, refugiado político desde que acabó la Guerra Civil. Pepe es tipógrafo. Tiene veinte años y aprecia a Guillermo un montón, al igual que sus mejores amigos, Enrique, Mateo, y Antonio Moreno. Estos, todas las tardes, vienen en busca de Pepe y se suma a los de la tertulia, tertulia que, a veces, sigue camino de mi casa. Allí continuarán discutiendo con un vasito de vino o de cerveza o con un refresco.

¡Qué de gente hay aquí! ¡Qué jaleo! Nadie se fija en mí. Bueno, eso de nadie… Unos ojos verdes aceituna me miran, me parece a mí, con insistencia. ¡Qué soñadora soy! ¡Cómo voy a interesar a ese muchacho tan guapo si soy una niña de catorce años!

Los meses pasan. Los ojos verdes, ahora, me hablan. Pero aún no llego a captar lo que me quieren decir.

Tengo ya quince años. He aprendido a leer en sus miradas. Una tarde de mayo, a la salida del *Collège*, Antonio me está esperando. Cómo late mi corazón. Andamos muy callados un ratito. Dura poco nuestro silencio. A la vuelta de una esquina nuestras cabezas se acercan, nuestras manos se unen. Nos paramos para vernos, frente a frente. Sus ojos verdes chispeados de oro me sonríen, con mucha dulzura. No escucho sus palabras. Efluvios perfumados, manando de él, me envuelven, resaltando un olor suave de albaricoque.

Al otro día, Antonio de nuevo me espera en la puerta del colegio, al igual que los días siguientes. Cada vez, mi pulso se acelera más y más. Ahora, su cara, su voz, su risa están en mí, constantemente. De noche, antes de dormir, recuerdo cada uno de sus gestos, sus palabras. Me despierto, de mañana, feliz. Es que lo voy a ver hoy. Estoy enamorada. Tengo quince años.

Antonio Moreno y sus pasiones

¡Cuánta pasión le tiene Antonio a la mar!

La mar lo fascina. No podría vivir lejos de ella. Necesita saberla cerca, para ir en su busca cuando la desea con fuerza. Entonces, va hacia ella, la respira, la palpa, la contempla. ¿Qué ataduras son estas que lo unen a tal inmensidad? A su mar no le teme, aunque sabe que puede ser terrible, peligrosa, implacable, siempre victoriosa. Ha tratado de domarla. Imposible. Ha conseguido que ella lo acoja como algo suyo, lo deja que se confunda como otro de sus elementos. Antonio nada como un pez, de día y de noche, cuando la mar está calma o iracunda. A su manera, esta le otorga su beneplácito, tal vez halagada por tanta devoción.

Cuando a Antonio le surge la duda, la pena, la incertidumbre, la angustia, va a su vera. Se sienta a sus pies, ahí donde las olas rompen estrepitosamente lanzando hacia arriba brazadas blancas de espuma o acaban en dulce murmullo. Él, entonces, se olvida del tiempo. La resaca se lleva, a lo lejos, su tristeza y amargura, para depositarla en el fondo del océano. La serenidad vuelve a él.

A Antonio le apasiona la pesca. ¿Será otro pretexto para acercarse a ella? Tal vez.

Prefiere pescar solo. Le gusta la noche para eso. Se prepara horas antes, como un enamorado que acude hacia su amante.

Ingenioso, hace muchísimos años plantó un día de equinoccio, cuando la mar se aleja muchísimo de la costa, un soporte metálico, alto de cuatro metros, cimentado en un sitio rocoso, frente al *Cabañón*. Esta columna sostiene un asiento de un viejo tractor donde se pueden instalar dos personas con sus múltiples enseres, indispensables para todo pescador.

Cuando cae la noche y si es marea baja, Antonio se va. Anda sobre las rocas, las conoce todas. Su equilibrio es increíble. Cuando llega al pie del soporte, accede a él subiendo unos escalones metálicos también, soldados al tubo. Ahora está en lo alto, solo. La mar manda sus olas que van recubriendo poco a poco el peñascal. Lo rodean totalmente. Se van acercando más y más a Antonio, le acarician sus pies. A veces, provocadoras, lo azotan, sacudiendo el tinglado. El pescador no cede, noche de plenilunio o noche negra. Pero la mar tiene su tiempo contado, se tiene que retirar. Las horas han pasado, las estrellas se van apagando una a una, las primeras luces del alba, blanquecinas y temblorosas, peinan el horizonte, a su derecha.

El hombre deja todo en su refugio, solo coge su red, que se cuelga al cuello, donde colean los peces plateados, se zambulle, con maestría y temple en el agua para regresar nadando hacia la ribera. ¿Trae con él buena pesca? Eso le es indiferente. Lo esencial son las sensaciones sentidas durante esa larga noche, pasada allí, solo, inmerso en la oscuridad, rodeado por ella, su mar. ¿Y qué sensaciones son esas? Gozo infinito.

Llega al *Cabanón*, empapado y aterido de frío, pero sus ojos reflejan tanta felicidad… Su cita con la mar lo ha colmado de dicha. Es un hombre dichoso.

*   *   *

La pasión que siente Antonio por la mar la lleva en él, desde que era niño.

Antonio nació en Tánger, al igual que su padre. Es el mayor de sus hermanos. Viven lejos del centro urbano, cerca del Monopolio, la Tabacalera. Habitan los Moreno en una casita modesta pero idílica para los cuatro niños. Muchos árboles la rodean, el más bello una higuera, pegadita al pozo que trasmina a su agua cristalina sabor a brevas maduras. Muy cercana también se halla la mítica Almadraba de Tánger.

La Almadraba tangerina alberga familias españolas y portuguesas en cohabitación perfecta, unidas por el mismo trabajo: la pesca del atún. Hombres, mujeres y niños preparan ellos mismos las artes de la pesca, o sea el conjunto de redes, cables, flotadores, plomos, en fin lo indispensable para faenar. Aquí se despieza el pescado que se pone a secar o que se dará para conservar. Y es desde aquí también donde los pescadores marcharán hacia el puerto en viejos camiones Berliet. Cuántas veces estos cansados coches se averían. Nadie se desanima, entre todos tratan de arreglar el fallo mecánico. Si no es posible, no pasa nada, se meten los enseres en carros que los hombres empujarán por la orilla de la playa.

Volvamos a Antonio. Va a una escuela francesa, cosa rara en ese tiempo. Es su abuela paterna, Remedios, quien lo ha querido. Ella admira con exaltación a Francia, a sus principios fundamentales, por eso, tanto sus hijos como sus nietos han estudiado, lo poco o lo mucho, en institutos franceses.

Antonio le tiene poca afición a la escuela y menos al francés, solo practicado en el recinto escolar. Todo Tánger habla español. Es un alumno modelo, serio, callado, educado. Un alumno con la firme convicción de que pierde el tiempo, sentado en el banco. Finge escuchar lo que dice el maestro. ¡Qué le importa a él que «el adjetivo calificativo concuerde con el substantivo y con el verbo al pretérito imperfecto»! (Esta frase sin sentido es la que más ha retenido y que repite tantas veces a demanda de todos nosotros que nos mondamos de risas.)

Gramática, Dictado, Lectura, Historia, Matemática: ¡Qué futilidades! Por suerte, con qué facilidad él se evade de ese lugar siniestro. Se diluye. Vive una de sus numerosas pasiones… La campana de la escuela lo sacude. Como una flecha, vuelta a su casa, a merendar rápidamente, a cambiar la ropa escolar por un bañador y a la playa. Los amigos están ya en el agua. A nadar todos, mar adentro, verano como invierno. Menos, cuando con sus compañeros, asisten a la salida de la pesca del atún de los de la Almadraba, en sus barcas frágiles.

¡Cuántos sentimientos se apoderan de él! Uno de los más fuertes es el temor de ver a esos pescadores, padres o hermanos de sus compañeros, alejarse hacia el horizonte. Ahora son minúsculos puntos negros, poco después nada: han desaparecido en la inmensidad. ¿Cuándo volverán y volverán todos? Muchos se quedan para siempre, tragados por el océano. Otro sentimiento que embarga a Antonio es un deseo turbador, desconcertante y fuerte. El deseo de meterse en una de esas barcas y compartir con los pescadores esa gran aventura. Quiere saber si lo que cuentan, al regreso, es cierto. ¿Son verdad o exageración esas tempestades súbitas y tan peligrosas? ¿Es verdad que hay atunes gigantes y peces espada de más de 900 kilos? ¿Son así de bellas las noches de luna clara cuando surge una guitarra del fondo de la cala para acompañar a un cantaor de flamenco o de fado? Antonio fantasea con esas pescas que lo fascinan, lo llenan de curiosidad y de miedo. El niño espera con ansiedad que vuele el tiempo, que sea hombre para unirse a los de la Almadraba, para pescar atunes.

Por ahora pesca en los múltiples rincones pesqueros que tiene Tánger, cada vez que puede, con caña de bambú, a la pelota, al lanzado…

Otra pasión de Antonio, una más, la caza.

Como muchos cazadores, posee esa dualidad extraña (para mí): ama a los animales tanto como ama la cacería.

Muy pequeñito empieza con un tirachinas que se hace él mismo. Aprende, viendo a mayores, a construir jaulas de todo tipo. Cuántas horas pasa observando los pájaros, los sedentarios, los migratorios. Sabe reconocerlos a todos, por el plumaje o por el canto, dónde anidan… Nunca violará un nido. Jamás.

Ahora ha dejado el tirachinas. Utiliza la red. A veces, como cebo, sobre ella, pone alpiste, agua y al lado un «zimbel» bragado por las alas y las patas. Sabe, cuando atrapa un alcaudón, quitarle una de sus plumas para metérsela por la nariz al fin de atarle su pico fuerte y ganchudo para impedir sus temibles picotazos.

¡Ay! La red es la causa de una llaga honda, que nunca cicatrizará, que lleva metida en su corazón.

El chaval tiene ocho años. Una tarde pasa por un campo de alcauciles, lugar predilecto de los jilgueros. ¡Cuántos hay! Un canto extraño, hondo, melódico, lo detiene. ¡Es un verdón! Antonio desea tanto poseer uno, para primero enjaularlo y poco a poco amaestrarlo «alpisteándolo». Corriendo va a su casa, coge una red, vuelve a los alcauciles, busca un vacío, posa la trampa, la adorna de alcauciles y a esperar. La malla se llena de jilgueros pero el verdón, casi solo ahora, erguido, sigue sus gorjeos. Antonio recoge su red, espantando las aves.

Vuelve el otro día. Ahí está el verdón. Otra vez pone la malla, que se llena de jilgueros. El verdón siempre en su terreno.

Un día tras otro, mismo fracaso. El niño lo que más teme es que su pájaro, que es un paseriforme, se marche con los suyos desde donde vino, Europa.

Hoy, todavía está ahí. A esperar. Sin hacer el más mínimo ruido, inmóvil, el niño ve otra vez los jilgueros entrar en la red. Fascinado, observa cómo «su pájaro» levanta el vuelo. Sudoroso, el corazón alocado, el pequeño cazador contempla cómo el verdecillo se une a los demás.

Con cuidados infinitos tira de la red.

¡Lo ha conseguido! Su verdón está atrapado. ¡Cuánta emoción la suya! Esta noche en su casa, le cantará para él.

Con la palma de la mano coge su presa. La saca de la malla. El verdón es suyo. Abre la mano despacio.

El verdón está muerto.

Posiblemente, el gesto del niño fue demasiado brusco, lo suficiente para arrancar la piel de la cabecita del pájaro.

Una pena inmensa invade a Antonio. Los sollozos lo sacuden. Ha matado a su verdón. Él lo quería vivo, para él o para que regresara a su tierra. Se tira al suelo hundido por la pena y la culpabilidad, siempre con el pajarito en la mano. La noche lo levanta. El niño, abatido, regresa a su hogar. No cuenta nada a los suyos.

Cuando todos duerman, seguirá llorando, oyendo entre los jilgueros, cantar su verdón.

EL NIÑO TORNERO

A sus doce años, Antonio suplica a sus padres para que le permitan trabajar. No quiere ir más a la escuela.

Su padre, chófer en la Administración tangerina, interviene para que su hijo entre de aprendiz de tornero. Petición aceptada. Para un niño de doce años.

Sin comentarios…

El taller de mecánica de la Administración es grande, posee un torno, un puesto de soldadura, una fragua, todo lo necesario para fabricar las múltiples piezas para los camiones y coches de la Jefatura de Tánger, dirigida por los franceses, españoles e ingleses, que se turnan cada tres años, según la ley vigente. El jefe principal es Monsieur Jay, un francés. En el torno trabaja Juan. Tiene fama de buen tornero. Puede ser. Pero qué malo, pésimo diría yo, maestro para Antonio. Ha rodeado su máquina de cartones que sirven de viseras. Así el niño no ve su trabajo. Cuanto menos vea, menos aprende y más tranquilo vive él. Es que el niño tiene una cara de listo, con esos ojos verdes tan observadores… Mira que es pesado. Cuántas veces al día se le oye decir: «Por favor, Juan, déjeme hacer una pasada en el torno, aunque sea una». Juan se niega a complacer al chaval. Se le ha oído decir a sus compañeros:

—Digo, que le dé mi torno, que yo le enseñe, para que dentro de algunos años me quite el pan de la boca.

Pero por muchos parapetos que tenga Juan rodeando su máquina, Antonio va adquiriendo conocimientos. Trabaja en la fragua, suelda, lima… Tiene mucho empeño en aprender.

Un día, Juan no aparece por el taller. Está malo, tiene que guardar cama una semana. El torno está parado. Se presenta Monsieur Jay, necesita imperativamente una pieza. Se pone furioso al saber que el tornero está enfermo. Antonio le propone hacer la pieza.

Todos los obreros del taller lo mandan callar. Todos se ríen del atrevimiento del niño. Menos Monsieur Jay. Somete a Antonio a varias preguntas y muy serio le dice:

—Anda, busca tú el material que requiere esta pieza y demuéstranos lo que sabes.

El niño no se equivoca, coge el acero requerido, pone el torno en marcha y sin perder aplomo, sin pronunciar palabra, se pasa cuatro horas torneando.

Los obreros han dejado sus trabajos. Rodean al pequeño tornero, asombrados. No se quieren perder el reto. La pieza es perfecta. Va de mano en mano. Todos vitorean, felicitan, aplauden al niño.

A los pocos días vuelve al taller Juan, recuperado de su enfermedad y enterado de la proeza del aprendiz. ¡Tiene un miedo!

Lo recibe Monsieur Jay con estas palabras:

—Desde ahora el niño trabajará en el torno. Tú a enseñarle todo lo que sabes. No te preocupes, hay mucho que hacer en este taller. Nadie te va a quitar tu trabajo.

Antonio tiene poco más de trece años.

Antonio y los aviones

Monsieur Jay le ha cogido cariño a Antonio, desde que hizo su primer trabajo de tornero con tal maestría.

Lo que ignora Monsieur Jay es que tanto él como el niño comparten una misma afición, bueno, más que una afición, una pasión: los aviones. ¿Desde cuándo siente este chaval tal fascinación por estos aparatos? Él cree que siendo muy pequeñito, al escuchar el zumbido en el aire de un motor, sintió deseos locos por estar ahí, en el interior de uno de esos objetos voladores.

Monsieur Jay posee una avioneta monoplaza, la del piloto, la suya. Un día le pide a Antoñito que le fabrique un patín para la cola de su avioneta que permita frenar (estamos en 1947 o 48). Lleno de orgullo, el chiquillo hace la pieza pedida y va con Monsieur Jay al aeródromo para probar la eficacia de su trabajo. ¡Perfecta!

Una mezcla de satisfacción y de envidia lo embarga. Gracias a su labor su jefe puede aterrizar, pero, ay, quien fuera M. Jay. Este, por cierto, no cesa de repetir: «Antoñito, cuánto lo siento que no puedas subirte conmigo, sé lo que te gustaría».

¡Y tanto que le gustaría! El gusanillo de la aviación se metió en él.

Pasan los años, unos ocho. Antonio llega a Casablanca, encuentra pronto trabajo de tornero. Vive por entonces solo, tiene un sueldo correcto, el suficiente para inscribirse en dos escuelas, la de tauromaquia y la de aviación. Esta es muy cara. Después de algún tiempo, Antonio tiene novia, yo. Nos vamos a casar. Hay que ahorrar. Deja sus cursos de pilotaje. ¿Sueños truncados?

Sigue interesándose por todo lo relativo a la aeronáutica, lee, ve documentales televisivos... Su pasión sigue, latente.

Traspaso a un 18 de agosto de 2010

Mi Antonio, hace dos años, tuvo un accidente grave, en la mar, pescando.

Una ola fuerte, mala, traicionera, le estrelló la rodilla contra el soporte del tinglado, frente al *Cabanón*. Fue necesaria una operación quirúrgica difícil. Salió bien. Con tesón y voluntad, Antonio consiguió andar normalmente, sin cojear, como antes.

Pero algo se rompió en lo más hondo de su ser. La fe que tenía en su invulnerabilidad. Es frágil como los demás humanos. No lo siente por él. ¿Qué va a ser de mí?

Desde que muy joven empezaron mis males, Antonio se dedicó en cuerpo y alma a una misión: estar muy cerca de mí, ayudarme, protegerme. ¿Qué va a pasar ahora si le ocurre otro percance? Los dos disminuidos...

Antonio calla, sufre. El corazón de mi marido se dispara. Padece de fibrilación auricular. Su médico cardiólogo y buen amigo le recomienda una vida tranquila, llena de prohibiciones, con un tratamiento adecuado, claro está.

Pasan seis meses. La fibrilación está controlada gracias a una medicación estricta seguida a rajatabla. Mi marido vuelve a una vida «normal».

Es lo que pensamos en casa. Ya hace dos años y pico que tuvo el fatídico accidente, en la mar.

Hoy, lunes 16 de agosto de 2010, como de costumbre, pasamos las vacaciones en el *Cabanon*. Todos estamos almorzando. Menos Antonio. Se fue a Casablanca, esta mañana, ni sé para qué. Suena mi móvil. Es él que me llama. Me dice que dentro de poco miremos hacia el cielo, veremos una avioneta, un Cessna. El piloto será él. ¡Y me cuelga! Una bomba estrellándose en nuestras cabezas nos hubiera afectado menos. Unos segundos nos son necesarios para que reaccionemos. ¡De distintas maneras!

Mis nietos, locos de alegría. ¡Eso sí que es un abuelo y no los de sus amigos casi impotentes! Mis dos hijas, Gogui y Sylvia, sollozando, muertas de miedo y llenas de rabia. ¡Su padre está loco, es un insensato!

¿Y yo, qué pienso? Pienso que tengo un marido único, extraordinario. ¡Con-

203

sigue asombrarme a sus 76 años! ¡Qué valentía, atrevimiento, audacia tiene este hombre!

Dejamos todos la comida, salimos fuera, frente a la mar. Escrutamos el cielo. Alejandro, mi niño, tiene la máquina de fotos preparada. Aparece un minúsculo punto negro en el cielo azul, envuelto en un zumbido. Crece el punto. Aumenta el zumbido, se ve una avioneta. Es un Cessna. Ahora hace medios *loopings*.

Los chicos gritan, saltan, aplauden, hacen fotos. Mis hijas chillan, lloran. Yo temblando como una hoja, lloro y río a la vez. ¡Qué hombre tengo! Ha podido realizar uno de sus sueños: pilotar una avioneta a sus 76 años. ¡Qué maravilla! ¡Qué orgullosa estoy de él! Es increíble, que consiga todavía sorprenderme.

Antonio regresa al *Cabanón*, horas más tarde. Sus nietos lo vitorean. Sus hijas lo tratan de egoísta, inconsciente, tramposo, desleal.

Antonio me mira. Sus ojos verdes chispean, humedecidos por la emoción. Nos abrazamos, enamorados. Le repito: «Torero, Torero, Torero…».

Luego, más calmados, nos cuenta que cuando el cardiólogo le dijo que su problema cardíaco estaba controlado, se fue a la escuela de aeronáutica de Tit Mellil y se inscribió. Tuvo que pasar control médico. Hace de eso 14 meses. 14 meses en los que no dijo nada a nadie.

Ahora tiene 82 horas de vuelo, es piloto, solo le falta un examen escrito: la teoría. Tiene que estudiar bastante para eso. Sé que va a aprobar.

Pondré en un lugar presidencial de mi casa su «Diploma de Piloto».

ANTONIO Y LOS TOROS

¡Qué ser más caprichoso y apasionado es Antonio!

Como vea algo que le guste, se aferra a ese algo que convertirá en otra querencia. Lo más curioso es que no deja que la nueva llama apague las anteriores. Su corazón, y eso desde chaval, abarca todas esas flamas que mantendrá en ascuas toda su vida.

El domingo 27 de agosto de 1950 se inaugura la plaza de toros de Tánger. Se llena de 11.500 aficionados venidos de todo Marruecos. En el cartel, Parrita, Martorell y Calerito. Se lidian toros de Fermín Bohórquez.

A tal acontecimiento no pueden faltar Antonio Moreno y su pandilla de amigos. Salvo en el cine, ninguno ha visto corridas.

El ambiente enfervorizado, esos toros bravos, los tres matadores de tronío derrochando arte y valor, el sol aplastante que apacigua por instantes las brisas ligeras marinas, atlánticas y mediterráneas, hacen que nuestro adolescente sienta un nuevo flechazo. Está perdidamente enamorado de la Fiesta Nacional. Quiere ser torero. Desde esa tarde no se pierde una corrida. Pertenece a la Escuela de Tauromaquia tangerina donde demuestra ser mejor alumno que lo fue en la otra escuela, la francesa.

Pero eso no le llena. Desea vivir de cerca el mundo de los toros. Ese mundo no lo hay en su tierra. Está en la Península, tiene que meterse en él. Elabora un proyecto, como él sabe, en secreto. Lo prepara minuciosamente durante un año. Les dice entonces a sus padres que tiene gran deseo de conocer a sus familiares paternos y maternos que residen desde siempre en Cabra, provincia de Córdoba. Los padres, complacidos por ese empeño súbito del joven por conocer sus raíces, escriben a unos primos, anunciando la próxima llegada de su Antoñito, el hijo mayor.

Respuesta inmediata de los egabrenses: ¡Qué alegría conocer y recibir al primo tangerino!

Nuestro tangerino se marcha hacia la tierra de sus antepasados con ligero equipaje y poco dinero en el bolsillo.

Antonio Moreno (en el centro) con unos amigos

DE CABRA A SALAMANCA

La familia paterna de Antonio es oriunda de Cabra, precioso pueblo andaluz cordobés. A principio del siglo XX emigró para Tánger. El padre de Antonio, Francisco Moreno, nace en tierra tangerina. Un día, casualmente, se entera de que no muy lejos de su barrio, vive otra familia egabrense sin ningún parentesco con la suya y para colmo, se llama Moreno. Francisco, impulsado por la curiosidad, se presenta en casa de los paisanos de sus abuelos y lo que más lo cautiva es una guapísima joven rubia de ojos azules-verdes que se llama Elena. Se enamora perdidamente de ella. A Elena también le gusta el joven. Se casan poco después.

Tienen tres varones, Antonio, Ángel, Paquito y una niña, Elenita. Los cuatro hijos por consiguiente tienen por apellidos Moreno Moreno y llevan sangre egabrense por los cuatro costados.

*   *   *

¡Antonio va a conocer a su familia cordobesa!

Eso es lo que los suyos se creen. ¡Qué va! ¡Pues no se lo tenía bien montado el niño! Siendo uno de los mejores alumnos de la Escuela Taurina de Tánger, le han dado la oportunidad de torear en una novillada. Tiene buena tarde, tan buena que Radio Tánger lo invita a una entrevista radiofónica y él, aprovechándose de esa oportunidad, lanza por las ondas que su más fuerte deseo es marcharse a la Península para aprender a ser torero de verdad, no de salón. El chaval es tan convincente que el propio director de Radio Tánger le entrega una carta de recomendación para el conde de Villapecellín, de Madrid, por lo visto muy metido y bien relacionado en el mundo taurino.

Antonio no dice ni pío a su familia quién lo acompaña hasta el barco. El adolescente llega a Algeciras. Por primera vez pisa suelo español, coge el tren para la capital y a preguntar se ha dicho. Da con la soberbia mansión del conde. La suerte lo acompaña. El de Villapecellín está en su casa y lo recibe muy cordialmente, lee la carta que le es entregada y a su vez le escribe otra para que Antonio se la dé en mano a don Manuel Arranz, ganadero en… Salamanca.

El aspirante a torero no se detiene en Madrid. De prisa y corriendo llega a Salamanca y a buscar se ha dicho el famoso cortijo Andrés Bueno, a unos quince kilómetros de la estación, en el pueblo de Calvarrasa de Abajo. Le quedan veinte pesetas en sus bolsillos. Por vez primera lo acosa la inquietud. Por ahora todo ha salido bien. Pero es que «ahora» empieza lo bueno. ¿Qué pasará si aquí no lo reciben? No le queda dinero para regresar. Suspira hondo y pisa fuerte al entrar en el cortijo.

Lo recibe el señor Roque, el mayoral. El joven le entrega la carta del conde y contesta a la cantidad de preguntas que le hace su interlocutor. El mayoral no se lo puede creer. Que este casi niño haya venido desde Tánger, ahí por África, solo porque quiere ser torero. Asombrado e intrigado, no deja de observar al «Moro Africano»: viste con sencillez, muy limpio, mira sonriente frente a frente, digno pero sin altanería. Tiene un acento raro. Dice que está dispuesto a trabajar en el cortijo de lo que sea con tal de estar cerca de los toros. ¡Es tanto su afán de ser torero! El tangerino derrocha carisma. Convence al mayoral.

Hoy mismo empieza su labor en la dehesa Andrés Bueno de don Manuel Arranz.

¿Qué faena va a ser la suya? En este cortijo no solo se crían las reses bravas, sino que también se cultivan cereales, remolacha, patata. El señor Roque le propone lo que más deseaba el joven pero que creía un sueño imposible. Se va a encargar del cuidado de toros bravos, todos los días. La felicidad ilumina la cara de Antonio. ¡Vivir cerca de sus toros, observarlos, estudiar sus comportamientos, conocerlos! Es el primer peldaño que tiene que escalar un postulante a torero.

Al alba, claro está, con otros compañeros, Antonio sale del cortijo. Hombres y ganado van hacia el río Tormes, ese río que con sus meandros profundos y abundantes riega los ricos pastos del contorno. A cada hombre le incumbe el cuidado de ocho a nueve toros. Los grupos están dispersos. El regreso se inicia al crepúsculo. Cae la noche lentamente, cálida y sofocante en verano, o por el contrario, glacial y a veces con crudas nevadas en este invierno salmantino. Después de encerrar sus toros, Antonio se reúne con los demás trabajadores y empleados del cortijo, unos treinta más o menos. En la inmensa cocina, donde se erige una enorme chimenea, se sirve la cena, siempre la misma: patatas cocidas con manteca de cerdo y majadas con pimentón, alternando con potaje de garbanzos.

Antonio se recrea con estos dos invariables guisos, los saborea noche tras noche. Una pura delicia. ¿Serán las manos de la buenísima y cariñosa cocinera, señora Teodomira o el gran apetito que da esa vida sana y campera?

Lo que es seguro es que hoy en día todavía recuerda con nostalgia las «suculentas patatas majadas» (meneás) de la señora Teodomira.

La velada es convivial. Los charros son buena gente, apacibles, acogedores, no muy habladores y a todos le ha caído bien este recién llegado, que les inspira simpatía que se convierte muy pronto en extrañeza, admiración, cariño… ¡Qué valor el suyo de venir de tan lejos, por esas tierras de moros, para conocer los toros porque quiere ser torero! El chico dice que en su país no se crían las reses bravas. A todos les encanta escucharlo contar cosas de allí. Cuenta que su casa está cerca de la mar, que él sabe nadar mar a dentro, que el océano es infinito. Siempre está dispuesto a ayudar a uno o a otro.

A pesar de este acento tan raro, que ellos nunca han oído, es gracioso y ¡mira que canta bien, por Antonio Molina! Lo más increíble y maravilloso es que, siendo hijo de un obrero, ha ido a la escuela y sabe leer y escribir en francés y en español. Al igual que sus padres. Ninguno de estos campesinos ha ido a una escuela…

¡Qué de particularidades tiene el forastero!

La tertulia de la sobremesa no se prolonga demasiado. Todos están cansados y mañana hay que madrugar. A descansar pues. Dormirán en una sala grande, en colchonetas individuales rellenas con hojas de mazorcas, posadas en el mismo suelo, que trasminan un delicioso olor a campo, a frescor, a dicha.

Antonio se ha adaptado rápidamente a su nueva vida, sobria y saludable. ¡Mira que los toros le enseñan cosas! Ni el calor sofocante veraniego, ni el frío glacial invernal, ni esta nueva vida tan diferente a la de su casa, ni sus momentos de nostalgia pensando en los suyos, lo desaniman. Su afición torera barre todo, crece día a día.

Llega noviembre. Tiempo del herrado para todos los novillos de un año, que llevarán ahora la divisa de la ganadería y el año de su nacimiento. En noviembre también empiezan los tentaderos, tan anhelados por todos los aficionados.

Para eso está aquí nuestro tangerino.

Cada ganadería tiene sus tientas, primero en las eralas y después en la retienta, a sus madres para comprobar si el parto no les ha quitado bravura y nobleza.

Este acontecimiento es una auténtica fiesta campera que se organiza días antes con esmero. El ganadero invita a familiares, amigos y por supuesto toreros famosos. En la placita cortijera, los maestros son los primeros en comprobar esa bravura y nobleza. Se descartarán sin miramiento las vaquillas mansas, ante las miradas expertas del ganadero y de su mayoral. Después se le permite a los jóvenes aficionados demostrar arte y valor, ahí, ante todos. Una vez finalizada la tienta, a comer y a beber, manjares y vino a raudales.

Don Manuel Arranz, al igual que su familia, le ha cogido cariño a Antonio y durante la época de la tienta le permite que deje su trabajo en la ganadería para ir de tienta en tienta, de cortijo en cortijo. Cuando uno de estos no está muy lejos de

Andrés Bueno, nuestro aficionado se marcha la víspera, después de la cena, andando. Cruza campos y ríos, alumbrados por una luna pálida y estrellas blanquecinas que de súbito se ocultan tras nubes negras y amenazadoras. Un ventarrón gélido lo persigue. Ahora le invade todo su cuerpo, le azota la cara. Para combatirlo, Antonio acelera el paso silba, canta. De súbito se oyen unos aullidos siniestros que cortan el silencio profundo de la noche, seguidos por unos roces rápidos y furtivos en su pelo, cara, cuello. El adolescente temeroso, con sus manos, a ciegas, trata de rechazar al agresor invisible. Los roces han cesado. Ante él, siempre aullando, sale volando un búho, que adormilado en la rama de un árbol, se molestó por la presencia del joven. El pájaro, indiferente a las sensaciones producidas, se funde en la obscuridad. Con su huida se esfuma el miedo del joven que se ríe entonces de él mismo. Era solo un búho. Continúa su marcha tratando de olvidarse del frío. Pronto llegará a ese otro cortijo donde le permitirán descansar en un pajar que le dará calor. Con suerte, mañana en el tentadero, dará esos pases que lleva en su mente…

La situación es diferente si el tentadero se halla lejos del de don Manuel Arranz. Imposible hacer tantas leguas andando. Tiene que coger el tren como muchos maletillas. Pero sin pagar. Subido en el techo del vagón. Él sabe en qué momento preciso puede pegar el salto: cuando, antes de ciertas curvas, el tren reduce su velocidad. Aplastado al techo, boca abajo, hace los kilómetros que lo acercan de esa lejana ganadería. Sabe también cuándo dar el salto para bajarse: cuando el tren, cerca de la estación, frena, iniciando la parada.

¿Es que este «fraude» es ignorado por la Guardia Civil y por los controladores del ferrocarril? ¡Qué va!

¿Por qué entonces estos cierran los ojos? Pues porque en todo el campo charro es tiempo de tientas y hay que ayudar a esos jóvenes aficionados que luchan tanto para demostrar valentía y coraje, exponiendo, a veces, hasta la vida. ¡Quién sabe! Tal vez uno de esos jóvenes viajeros furtivos llegue a ser un torero de tronío, con su nombre en todos los carteles y que se le llame «el de Salamanca». Tanto la Guardia Civil como los del tren, cerrando los ojos, les habrán ayudado.

Sí, en esta Salamanca torera se crían tal vez los toros de mejor raza de España. Pero es en Sevilla, Córdoba, Madrid que nacieron Joselito, *el Gallo;* Belmonte; Espartero; Manolete; Dominguín; Aparicio y tantos otros.

Y Salamanca espera con impaciencia que uno de los suyos se agregue a esa lista de las mejores figuras de la tauromaquia.

La cogida

Es el segundo noviembre que pasa Antonio en la ganadería.

¡Cuánto entiende ahora de toros! Pero él sabe que le falta aún mucho por aprender, mucho, mucho. El mayoral ha sido su maestro. Hasta don Manuel Arranz, interesado por la tenacidad del joven, le prodiga cariñosos consejos. Además toda su familia, y muy en particular sus dos hijas, sienten afecto por este tangerino que está demostrando madera de torero. Hace más de un año que comparte el trabajo en el cortijo con su inicio en el mundo de los toros. Lo llaman para que participe en festivales taurinos, sin cobrar claro está. Pero este detalle lo deja indiferente. Lo esencial es que empiecen a conocerlo.

Recibe consejos expertos igualmente de toreros famosos, amigos de don Manuel, como Victoriano Valencia, Jumillano, Pepe Ordóñez, Roberto Valencia, Posada. Hasta a la famosa y guapa ganadera, Pilarín Coquilla, que fue en su juventud musa de tantos pintores dedicados al mundo taurino, ha caído bien Antonio. Ella también presiente que el chaval posee empaque, solera y valor. Con suerte puede llegar a ser una figura.

Hoy todos se encuentran en Campo Cerrado, en el cortijo de don Alipio Pérez Tabernero. Hay fiesta campera. En su placita, una vaquilla. La han toreado Pepe Ordóñez, Jumillano, al igual que numerosos amigos de don Alipio, aficionados «domingueros».

El último en salir será ese joven tangerino, el protegido de Arranz. Antonio sabe que no será nada fácil sacarle buen partido a esa vaca, tan toreada esta tarde. Pero no quiere ni debe dejar pasar esta oportunidad. El público de hoy es de entendidos, la canela fina del Campo Charro. Tal vez sea hoy cuando se realice su sueño, que su nombre salga fuera de este cortijo, que lo recoja un empresario y lo contrate para una corrida auténtica.

Antonio está en medio del ruedo, todas las miradas fijas en él. El silencio es total y consigue lo imposible: ¡dominar la vaca! Le saca, con la capa, unos pases llenos de arte. Aplausos y olé. El joven se atreve y se acerca más y más. El animal y él se confunden. Con la muleta, después de unos derechazos rematados por un pase de pecho, encadena, con la mano izquierda, con un natural. Está embriagado, fuera de este mundo.

De pronto oye gritos de miedo. Él ni se ha dado cuenta de la cornada recibida en su muslo derecho. Sigue su faena. Ahora sí, siente un calor extraño que le corre por su pierna hasta que nota que esta no lo sostiene. Todo ha sido tan rápido. Lo llevan en brazos caras asustadas, entre ellas la de don Manuel Arranz que ve la seriedad de la cogida. Con celeridad es trasladado al hospital de Salamanca. El doctor Moro lo opera, con anestesia local. El parte médico habla de «una herida en la región anteposterior al tercio medio del muslo, profunda y de once centímetros de longitud. Pronóstico reservado».

A los quince días, Antonio sale del hospital, andando, sin muletas y dispuesto a seguir toreando.

Fin de un sueño

He relatado en los últimos capítulos los hechos de Antonio desde que se fue de Tánger, engañando a sus padres, ¿pero cómo sintieron ellos esta fuga? Así...

Por entonces se utiliza poco el teléfono. Pasan los días, casi un mes. Pronto regresará Antonio, finalizadas sus vacaciones en Cabra. ¡Cuántas cosas tendrá que contar! Hoy, el cartero ha traído una carta, con la escritura del niño. ¡Qué contenta se pone la madre! Pero se le esfuma la alegría, cuando en el sobre ve el sello de Salamanca. De inmediato sabe lo que ha ocurrido. Su hijo no se fue para ver a sus parientes, fue tras la ilusión de estos últimos años, ser torero. ¡Maldita afición! Temblorosa, se tiene que sentar para leer lo que ya se imagina. No se equivoca. Antonio cuenta sus peripecias hasta su llegada a la ganadería donde empezó a trabajar de lo que más deseaba: ocupándose de toros bravos y aprendiendo mucho de ellos y al parecer, con buena acogida por todos. Es consciente que ha actuado muy mal, que los ha engañado, ¡pero temía tanto que se opusieran a sus proyectos! Ellos saben que esa afición tremenda ha podido con él. Suplica que confíen en él algún tiempo más. Pero comprende que estén muy enfadados y le exijan que regrese. Se someterá a lo que ellos decidan.

La lectura de esta primera carta conmueve a los padres. Antoñito es un niño bueno, el más cariñoso y comunicativo de los hijos. Pero Antoñito no sería Antoñito sin su terquedad. ¿Cualidad o defecto?

Cuando se empeñó en trabajar en el taller de mecánica, no pudieron con él y allí demostró en poco tiempo su pasión por el torno. Hasta su partida a la Península, cumplió con sus obligaciones, sin faltar ni llegar tarde, respetuoso con sus mayores, siempre agradable y simpático, apreciado por todos. Y si torero quiere ser, torero será, o por lo menos lo intentará.

Después de larga y mutua concertación, Francisco y Elena se inclinan ante la pasión del chaval. Le permiten que se quede en la ganadería. Una correspondencia larga y asidua se establece entre Tánger y Calbarrasa de Abajo. Pasan dos años.

¿Cómo se enteran de la cogida? No por Antonio. Esta vez oculta para no inquietar a los suyos. Pero su madre se entera... por el diario de Tánger.

213

Unos días después del percance, el periódico relata el suceso. Elena, descompuesta y desesperada, le escribe a su hijo, exigiendo su regreso inmediato. Días después llega el cartero, anunciando carta para el Tangerino.

Paro total en el cortijo. Todos los compañeros rodean a Antonio. El joven, alterado y pesaroso, tarda en abrir el sobre. Es él ahora quién sabe el contenido de esta carta. Va a empezar la lectura pero le piden que aguarde, El señor Roque vio llegar al cartero, escuchó «Tangerino» y como los demás dejó sus faenas para enterarse. Al igual que a todos los de Andrés Bueno está pendiente del mañana de este chaval.

Ahora Antonio lee, la voz ronca, las lágrimas que no puede contener rodando por las mejillas. Entiende a sus padres y quizá por vez primera se da cuenta del daño que su audacia le ha causado a su madre. Sí, sus padres le dieron prueba de generosidad y confianza, lo trataron como a un hombre y como un hombre se tiene él que comportar a su vez. Esta decisión irrevocable le parte el alma: ¡Estaba a lo mejor tan cerca de su meta! ¡Cuántas caras llorosas comparten su pena! ¡Es tan querido en el cortijo!

Don Manuel Arranz, enterado de la determinación tomada, le dice al joven:

—Antonio, haces bien, tienes que volver con los tuyos, pero ya sabes que aquí está tu casa y siempre he confiado en ti. Vuelve pronto, posees madera de torero y te prometo que seguiré ayudándote en lo que pueda, siempre.

Con el alma rota Antonio deja el cortijo Andrés Bueno. Tras él se quedan tristes y desolados todos sus amigos y muy en particular el señor Roque y su esposa, la señora Cipriana así como la buenísima señora Teodomira.

Antonio promete volver.

Pero no volverá para ser torero. Volverá años más tarde, en viaje de boda, conmigo.

EL TANGERINO CASABLANQUÉS

De regreso a Tánger, de inmediato, Antonio vuelve a su antiguo trabajo como tornero, donde lo acogen con regocijo por su buen saber de mecánica, que no ha perdido, y por la notoriedad de estos dos años pasados en el mundo de la tauromaquia. Es el «Tornero Torero» como lo llaman en el taller, con simpatía.

Pero el joven no está satisfecho. Gana poco, no es que se haya vuelto ambicioso, pero sigue con la misma pasión, triunfar en los ruedos. Solo que ahora quiere volver a Salamanca con algún dinero. Eso sería posible si se marchara a Casablanca, ciudad en plena expansión.

Antonio, esta vez, consulta con sus padres. Elena tiene a sus dos hermanas, Rosario casada con un excelente pianista, buenísima persona y tiene dos niñitas, Ilda y Manoli. María, la mayor, es viuda y vive con dos hijos solteros, Luis y Juan.

Todos están encantados de recibir a Antonio, por lo bueno, simpático, cariñoso y guapo que es. Lo quieren mucho. ¿Bueno, quién no quiere a Antonio? ¡Que yo sepa, nadie!

Lo conocen bien, pues en verano tanto Rosario como María, con sus familias, van a la casita del Monopolio, tan cerca de esa playa magnífica.

Nada más llegado a Casablanca, el Tangerino encuentra empleo, de tornero fresador. No le falta tiempo para enterarse que aquí hay mucha afición taurina y hasta Escuela de Tauromaquia. No tarda en ir. Es recibido por todos esos aficionados con entusiasmo, saben lo de su estancia en el Campo Charro y de su cogida en Campo Cerrado. Al principio lo admiran y lo envidian. Poco después lo aprecian por su sencillez y carisma.

En esa peña taurina todos son amigos, pero un núcleo indisoluble se forja muy pronto. Ese núcleo lo forman Antonio, Pepe, Mateo y Enrique. Amigos de verdad, para siempre, hasta la muerte.

Pepe trabaja en el mismo taller que mi padre. Mi tío Paco Ortiz pertenece a la escuela taurina. Inevitablemente, Antonio conoce a Guillermo. Ineluctablemente los dos se aprecian, mutuamente.

ÉCOLE TAURINE DE CASABLANCA

27-1-56

...ole taurine de Casablanca a ...de reprendre cape et muleta.

...duits par M. Francisco Porro, ...ères Beneroso et M. Ortiz, on ...ait sur notre cliché Joseph ...qui se tailla de grands succès ...èpes de Casablanca, et cepen-

dant avec des « becerros » impossibles et qui savaient « lire et écrire ». Moreno Antoine et Matéo Escobar, dont le style andalou ne demande que des toros « qui passent » que l'on puisse toréer. Et maintenant en route pour la prochaine grande becerrada de mars à Marrakech.

15 CASABLANCA – Vue aérienne des Arènes pendant une Course de Taureaux

216

CHRONIQUE TAURINE

FESTIVAL TAUROMACHIQUE ET DÉSENCAGEMENT

des six novillos de la corrida du 15 novembre demain après-midi aux Arènes de Casablanca

■ L'espoir casablancais Antonio Moreno devant un « becerro » au cours d'une « tienta » en Espagne.

C'est demain après-midi, aux arènes de Casablanca qu'aura lieu le désencagement des 6 novillos-toros, de la ganaderia de Don Enrique Perez de la Concha, qui seront combattus et mis à mort dimanche 15 novembre par les célèbres novilleros Curro Montes, Paco Camino et Pepe Ortiz.

A l'occasion de ce désencagement est organisé un festival tauromachique qui permettra à nos toreros locaux de se manifester ; en effet, et pour la première fois, est organisé un « mano a mano » avec simulacre de mise à mort de deux becerros entre Luis Martinez et Antonio Moreno, accompagnés de leurs cuadrillas. Notre ami Martinez, qui réclame depuis longtemps qu'on lui donne sa chance, est enfin servi et nous allons pouvoir demain juger de ses qualités toreras.

Il y aura également l'exhibition d'un « becerro » aux cornes emboulées pour les amateurs de « hula hoop tauromachique ». Pour peu qu'il y ait de nombreux candidats, cela nous promet des minutes de franche gaî..

Suivra la course provençale de deux novillos avec cocardes primées.

Bref, encore un de ces spectacles sans prétention mais très amusants et animés et qui ravissent petits et .. ands

217

¡Estos dos hombres son tan parecidos y tienen tantos puntos en común! Comparten los mismos valores. Son los dos seres más buenos y humanos que yo he conocido.

Ya sabemos cómo llegó Antonio a mi casa, cómo sus ojos verdes chispeados de oro miraron los míos, y me cautivaron.

Desde que salimos juntos, me anuncia que un día se marchará. Su pasión devoradora por los toros pasa ante todo.

Al principio comparto sus deseos de que triunfe. ¡Claro que puede llegar a ser matador! ¡Y de los buenos!

Pasa el tiempo, mi amor por él se intensifica. No concibo que se marche, que se aleje de mí. Esta posible separación me atormenta, ¿resistiría nuestra relación este alejamiento? Hablamos menos del tema. ¡La vida en Casablanca es tan intensa!

Ahora soy maestra de escuela, mi meta es casarme con Antonio y tener hijos.

¿Y él? También habla de boda, pero también, a veces, lo noto lejos de aquí. Su lucha tiene que ser tremenda.

Cuando hay corridas de toros, vamos con familia y amigos. Mi novio, sentado a mi vera, es otro. Transfigurado, subyugado, no pierde un detalle de lo que pasa en el ruedo. ¿Se ve él allí? ¿Suplanta al torero? ¿Es él quien está en el redondel, ante ese toro negro de pitones astifinos? Con su capa grana y oro pone en pie a la afición. Los olés lo embriagan. Con la muleta es el delirio. De una estocada limpia cae el toro en la arena. Aplausos, vuelta al ruedo, flores… Sale a hombros por la puerta grande.

Acaba la corrida. Antonio sigue con la vista fija, sin hablar, su sonrisa es ahora nostálgica y melancólica. Suspira hondo, me ve, me abraza con ternura. Ha vuelto a nuestro mundo.

Ya no me habla de su deseo de ser torero. Se lo calla, seguro.

El primero de julio de 1961 me caso con Antonio Moreno Moreno. Mi torero.

Mi torero valiente que quiso por última vez someterse a una dura prueba, volver a Salamanca, al cortijo de don Manuel Arranz, para enseñarme ese mundo que lo mantuvo cautivo cerca de dos años.

Quiso que los de allí me conocieran.

Casablanca, el 16 de octubre de 2010

Boda de Margarita y Antonio